la buscadora de perlas

Jeff Talarigo

la buscadora de perlas

Traducción de
Gemma Moral

Grijalbo

Título original: *The Pearl Diver*

Primera edición: octubre, 2004

© 2003, Jeff Talarigo
© 2004, Grupo Editorial Random House Mondadori, S. L.
Travessera de Gràcia, 47-49. 08021 Barcelona
Publicado por acuerdo con The Doubleday Broadway
Publishing Group, una división de Random House, Inc.
© 2004, Gema Moral Bartolomé, por la traducción

Printed in U.S.A. Impreso en U.S.A.

ISBN: 84-253-3886-7

Fotocomposición: Fotocomp/4, S.A.

*Para los veinticinco mil enfermos
que vivieron esta historia
y para los dos Sam de mi vida,
mi abuelo y mi hijo*

Al posarse, la blanca escarcha
nada discrimina,
cada gota está en su lugar.

Soin

Tierras de aislamiento

Sus palabras son el único producto del tiempo anterior a su llegada.

Mil novecientos cuarenta y ocho. Aquel día empezó lentamente, como todos durante la temporada de buceo. Ajustó la tira de las gafas de bucear, comió un cuenco de cebada, remendó un desgarrón de la capucha de su traje de buceo, comió una sardina salada tras otra y al palpar una muesca de su tina pensó que las letras kanji que había dibujado en el fondo tenían que repintarse. Comió más cebada, unas algas saladas, encurtidos, bebió té verde. Las otras buceadoras hicieron lo mismo, poca charla antes de las zambullidas, concentradas en llenarse de hidratos de carbono para las dos horas extenuantes de buceo.

El anciano Kenichi y los demás ayudantes esperaban en las barcas para llevar a las buceadoras, mar adentro, a un cuarto de milla de la costa del mar Interior. Ella llevaba su tina vacía, como todas las demás, antes de zambullirse. Solo después, agotadas las fuerzas, desearían, necesitarían ayuda. Sentada en el borde de la barca, ejercitó los tobillos, estiró la espalda y las extremidades. Algunas de las mujeres se ponían unas aletas que habían empezado a utilizar hacía pocos años, según ellas, para coger más velocidad. Por esa misma razón no las llevaba ella. Para mantener el mismo paso, el mismo ritmo, los mismos hábitos desplegados en los más de quince siglos de historia, las sesenta generaciones que llevaban haciéndolo de la misma manera.

Llegaron en cinco minutos; las barcas cabecearon un poco antes de hallar el equilibrio. Ella, la más joven de las buceadoras, esperó a que las demás arrojaran sus tinas al agua para hacer lo mismo, y luego se tiró al mar de pie. Era el único momento del día en que no se dejaba guiar por la cabeza. Y era allí, en la inmensidad de las aguas, donde no se sentía nunca sola. Había tinas de madera de cedro por todas partes, como motas en el agua; agarradas a sus costados, las buceadoras dejaban escapar largos silbidos, soltaban las tinas, saltaban en dirección al sol de las nueve de la mañana y desaparecían por orden de edad.

Las tinas se balanceaban sobre las olas, tapándole a veces el sol de la mañana, devolviéndoselo después con igual rapidez. Con los brazos apretados contra el cuerpo, sus pies se movían con golpes lentos y regulares, las olas sacudían su cuerpo, el agua se volvía más turbia y oscura a medida que se sumergía. A veinte metros de profundidad, había la misma luz que en otoño con cuarto creciente. Y allí abajo, por primera vez, separó los brazos e hizo el pino bajo el agua, tanteando en busca de lo conocido: ostras, erizos de mar, vieiras, langostas, algas, orejas de mar, moluscos.

A veces, allí, en el fondo del mar, el restallido del pico contra la roca, el sonido hueco que hacía al rascar, tenía una res-

Kenichi decía lo mismo casi todos los días, y ella, como si de palabras mágicas se tratara, se cogía de su brazo y se dejaba conducir a la cabaña de las buceadoras. Por el camino, se detuvo y se sentó en el muelle, tenía las piernas agarrotadas por los calambres. Se retorció de dolor, pero rápidamente recordó que debía relajar el cuerpo. Relájate, relájate, se dijo a sí misma, mientras su cuerpo le decía que se pusiera tensa. Relájate. Piernas, cuello, espalda, plantas de los pies. Tenía rampas por todas partes. Otras buceadoras la miraron de reojo y comprendieron que eran solo calambres. Se levantó y echó a andar hacia la cabaña de las buceadoras, cojeando. Kenichi la sujetó.

—¿Puedes tú sola?

—Sí, ya estoy bien —dijo ella, apartándolo. Tosió varias veces, se aclaró la garganta y escupió en el agua.

Kenichi la dejó en la puerta de la cabaña y volvió al muelle para ordenarlo todo. Ella entró, cerró la puerta y se reunió con las demás. Sus piernas estaban tan tensas todavía como los nudos de las cuerdas que sujetaban las barcas al muelle.

Había tres generaciones en aquella cabaña. Silenciosas mientras se desvestían. Chorreando, entrechocando los dientes, aspirando el aire ruidosamente sin dejar de temblar. No tenían fuerzas para hablar; tampoco necesitaban hacerlo. Se ayudaban unas a otras cuando no llegaban a las tiras que se ataban a la espalda o no conseguían la capucha impermeable. Ya no se sentía tan cohibida como en sus primeros meses de buceadora. Ya no se avergonzaba de su cuerpo regordete, aunque terso, de la piel de gallina, los pezones como piedras, las manos y los pies arrugados, la cara bronceada como una máscara que contrastaba con su cuerpo blanco, ni de los labios azules y temblorosos.

El agua dulce, fría, rebotaba en los cuerpos con un leve repiqueteo y quitaba tan solo la capa salina externa. Las otras capas no se desprendían jamás. Incluso en los largos meses en que no buceaban, todas las noches llevaba hasta la cama el olor del mar. Temblaba al vestirse, temblaba al vender sus capturas, temblaba sin parar.

Había tenido un buen día: tres pulpos pequeños, unas cuantas docenas de ostras, dos erizos de mar y algunas algas, de las que se reservó la mitad para comer, junto con la langosta. Kenichi ya la había cogido y la estaba preparando.

Envueltas en mantas, las buceadoras se sentaban en sus cabañas para beber té verde caliente o infusión de cebada, sujetaban las tazas con las dos manos, arrugadas aún por el agua del mar, y se esforzaban por olvidar el frío. Cada una a su manera intentaba desviar sus pensamientos de él. A Mariko le gustaba tararear viejas canciones; movía los dedos de las manos y los pies para seguir el ritmo, y para calentarlos. Yurika manoseaba su rosario budista. Yoko leía una novela de misterio de Agatha Christie.

Pero ella recordaba aquel mes de agosto, no hacía ni tres años, cuando notó que el agua del mar Interior estaba más caliente que nunca. Casi quemaba. Preguntó a una de las buceadoras si había volcanes submarinos en la zona. Las mujeres levantaron la vista de sus capturas del día, que estaban clasificando, pero nadie se rió ni se burló de ella, como solían hacer, porque apenas tenía dieciséis años y era la más joven. Pasarían semanas antes de que se atrevieran a reír. Todas esperaban a que la buceadora más veterana, Miyako, les dijera cuándo podían hacerlo.

—¿Por qué lo preguntas?

Ella se enfadó consigo misma por haber dejado que la pregunta se le escapara. Era solo un pensamiento.

—¿Por qué? —volvió a preguntar la mujer.

—Hoy el agua parece más caliente.

—Llevo más de media vida buceando en estas aguas, podría ser tu madre, y no creo que el agua haya cambiado desde antes de que tú nacieras.

No dijo nada más.

A la mañana siguiente, 8 de agosto, el mar volvía a estar más caliente de lo normal, estaba convencida de ello, pero se guardó mucho de mencionar lo que pensaba. Que quizá el calor de Hiroshima —a menos de ciento sesenta kilómetros de distancia— había viajado desde el delta, a través y por debajo de las decenas de islas diminutas del mar Interior, hasta calentar las aguas que rodeaban la isla de Shodo. Un cálido tsunami.*

Y durante toda aquella semana en que el agua permaneció caliente, las buceadoras trabajaron en silencio. Las bromas subidas de tono se guardaron para el futuro. Cada cual se ocupaba de sus asuntos, al igual que el recalentado mar Interior se ocupaba de los suyos; las olas rompían sobre la playa, la marea se retiraba, las olas llegaban, la marea se retiraba, llegaban, se retiraba.

Hasta mediados de agosto no le pareció que el agua había vuelto a la normalidad. Le faltaban unas cuantas zambullidas cuando salió a la superficie y Kenichi le dijo que el trabajo se daba por terminado.

—Unas cuantas inmersiones más.

—No —dijo él.

* Onda sísmica marina. *(N. de la T.)*

19

No había ninguna tina en el agua, aparte de la suya. Ella nunca había sido testigo de la muerte de una buceadora, pero sabía que eso ocurría. Tal vez era así como sucedía. Kenichi remó hacia la playa. No había nadie abriendo ostras. Todos estaban allí plantados, algunos apoyados en el muelle, con la mirada fija en los pies o las rocas, o simplemente ausente. Otra bomba, pensó ella.

—¿Dónde ha caído esta vez? —preguntó.

—La guerra ha terminado —dijo Miyako con la voz ronca como si se hubiera fumado un par de paquetes de Golden Bats cada uno de los días de sus setenta años, aunque lo cierto era que no fumaba. Ella lo llamaba voz de buceadora—. Ha hablado el emperador. Nos hemos rendido.

—Cómo… —empezó a decir ella, pero siguió la mirada de Miyako hasta el pequeño altavoz que colgaba del poste. Miró fijamente el altavoz y siguió mirándolo como si pudiera extraer palabras de él. No lo consiguió. Algunas de las personas que había en el muelle (pescadores, buceadoras, compradores) estaban paralizadas por el asombro, otras tenían los ojos enrojecidos por las lágrimas. Ella no sabía qué hacer ni qué decir, no sabía si creer lo increíble. La voz del emperador. No podía ser cierto, debía ser cierto. Siguió con la vista clavada en el altavoz durante mucho rato y no salió de él ningún sonido. Ni una sola palabra.

Pero ese día, casi tres años después, las buceadoras iban entrando en calor a medida que los sonidos de la comida llegaban a sus oídos. El chasquido de las conchas de las ostras al chocar unas con otras en el suelo, los sorbos de miso*

---

* Sopa de soja fermentada de caldo de atún. *(N. de la T.)*

caliente, el crujido de los encurtidos. Una de las buceadoras dejó escapar un pedo y las risitas que provocó crecieron hasta convertirse en carcajadas acompañadas todavía por el castañeteo de los dientes, lo que aumentó aún más sus risas. También ella rió, pero siempre pendiente de sus piernas y de los calambres que podían reaparecer en cualquier momento.

La comida era su momento predilecto del día. La langosta que había capturado estaba apetitosa, hervida en agua de mar y sazonada con un poco de limón exprimido. Puso la mitad que le correspondía sobre un lecho de cebada, junto con las algas y varios tipos de encurtidos: rabanitos, bambú y pepinos. Aún no se había iniciado una auténtica conversación: solo un ajuste de eructos, hipos y estornudos, como si así prepararan la voz.

Entonces se oyó un chillido. Yoko, la afortunada Yoko, sacó una hermosa y enorme perla blanca de una de las ostras. Casi cada semana Yoko encontraba una, pensó ella. En sus cuatro temporadas como buceadora, ella había encontrado diecinueve perlas, que estaban todas en casa, en una caja lacada, junto a un cordel de cuarenta y cinco centímetros para medir la longitud de un futuro collar. Yoko debe de tener ya perlas suficientes para dos collares, pensó.

Y así fue como se inició la charla.

—Pareces un poco cansada hoy, Chikako.

—¿Quién, yo? —dijo señalándose a sí misma, con los palillos aún en la mano y la boca llena de pulpo.

—Ese joven y apuesto marido suyo no debió de dejarla en paz anoche.

—¿Mi marido? —Chikako rió.

—Me he dado cuenta de que caminabas un poco insegura esta mañana, incluso antes de zambullirte.

Chikako volvió a reír con la boca llena de comida, que masticó y tragó, antes de contestar:

—Yo aguanto más sin respirar bajo el agua de lo que aguanta mi marido… —Se interrumpió y dejó que se prolongara el silencio, luego se llenó de nuevo la boca, dejando la frase inconclusa. Las buceadoras se desternillaban de risa. A una de ellas le colgaba de la boca el trozo de pulpo que iba a comerse, pero aun así siguió riendo.

—¿Y qué me decís de nuestra joven buceadora?

Todas las mujeres se volvieron hacia ella. Ella se movió con nerviosismo. Seguía siendo la más joven de todas. Cada primavera esperaba que empezara a trabajar una buceadora más joven, para dejar de ocupar esa posición.

—Me da la impresión de que también ha estado haciendo cosas malas.

Todos los ojos se fijaron en su brazo, que Yumi señalaba. Todas esperaban la siguiente frase de Yumi:

—Menudo chupetón te ha hecho.

Se oyeron algunas pocas carcajadas. También ella se miró el brazo. No supo qué decir. Hacía unos días que se había descubierto aquella mancha rojiza casi del tamaño de una vieira.

—Me di contra una roca la semana pasada —dijo.

—Te digo que eso es un chupetón —insistió Yumi, mientras ofrecía un paquete de pastelillos dulces de alubias rojas—. El único problema es que tu novio no se sabe orientar. Tienes que enseñarle dónde ha de poner la boca. Ha de ser más abajo.

Estas palabras provocaron grandes carcajadas; tampoco ella pudo evitar la risa. Una de las mujeres se dio un fuerte chupetón en el brazo y aumentó el jaleo.

—Me di un golpe mientras buceaba —repitió ella, con desazón, e intentó imaginar lo que podía decir para que la conversación tomara otro rumbo. Miyako, la más veterana de las buceadoras, acudió en su rescate como tantas otras veces.

—Dentro de veinte años, tu cuerpo será un museo de cicatrices —dijo Miyako, tirando la concha de una ostra—. Podrás cobrar por visitarlo.

Era una verdad palpable. No había una sola buceadora que no llevara la historia de su trabajo escrita en el cuerpo. Todas ellas eran mujeres robustas y llenas de cicatrices.

A veces reía al pensar en su madre y su hermana, frágiles y gentiles, tan distintas de cualquiera de las buceadoras. Ella temía los días en que tenía que vestirse bien, y no se sentía cómoda con aquellas sandalias que obligaban a sus cortos y anchos pies a caminar como las palomas, más bien arrastrándose. Cuando llevaba el cabello trenzado y recogido en un moño muy tirante y prieto que se sujetaba con una peineta lacada le dolía la cabeza todo el día y tenía la sensación de que le arrancaban los cabellos de raíz. El fajín le apretaba tanto que le cortaba la respiración. Pero peor aún que llevar quimono era tomarse medidas para un fajín nuevo y notar el sonrojo de su madre avergonzada por el cuerpo grueso y basto de su hija.

Sin embargo, allí sentada junto a las demás buceadoras, no pensaba en nada de eso, solo al regresar a casa por la tarde volvían subrepticiamente aquellos pensamientos y no la abandonaban hasta la mañana siguiente, cuando salía para ir al mar.

Miyako hablaba a gritos, aunque no estaba a más de metro y medio de las demás. Cuando Miyako hablaba, su piel curtida relucía, pero solo la piel del rostro, de los pies y de las manos, como si siempre llevara máscara, guantes y calcetines.

Bajo la gruesa manta de lana, la piel de Miyako era tan blanca como la perla que había encontrado Yoko. Sus más de cuarenta años como buceadora le habían proporcionado mucho dinero, una hermosa casa en la ladera de la colina, un diente de oro y respeto. Se alejaba cada tarde con un buen montón de dinero metido entre los pechos gracias a sus capturas diarias. Entre sus pechos de madreperla.

Todas las buceadoras llamaban «abuela» a Miyako, y eso era un signo de respeto. Miyako era su guía, una guía sutil. Como aquella vez que, siendo ella novata, preguntó a una de las buceadoras cuál era el mejor método para extraer una oreja de mar de la roca y Miyako se interpuso y luego habló con ella aparte.

—Nunca compartimos secretos sobre nuestro trabajo o nuestra técnica. Está bien mostrarse amistosa y a la mayoría las quiero como a hermanas o como hijas, pero recuerda que somos competidoras. Si tú no consigues esa ostra con una perla gigantesca, la conseguiré yo. Y no me sentiré culpable. Tienes que desarrollar tus propios métodos y llevártelos a la tumba.

Miyako, que la había rescatado de toda la cháchara sobre la marca de su brazo, ofreció un poco de kelp* salado. Estaban tan cerca unas de otras que podían oler el aliento de Miyako, quien no paraba de masticar algas cuando estaba fuera del agua.

---

* Un tipo de algas. *(N. de la T.)*

—¿Queréis? —preguntó, alargando el brazo. Algunas de ellas aceptaron, y Miyako arrojó otro trozo a Yuki—. Toma, dale esto a tu marido. Es bueno para el pelo, lo refuerza y lo hace más espeso.

—Debería comer cubos enteros de esas algas —dijo una de las buceadoras.

—¿Cómo dices? —Miyako hizo un gesto como si no oyera y se inclinó un poco.

—He dicho que debería comer cubos enteros de kelp —dijo la mujer, alzando la voz.

—Más bien debería ponérselos en la cabeza —gritó otra.

Ella pensó que ahora podría relajarse un poco, ya que el interés de las otras parecía haberse alejado de ella. Pero sabía que en cualquier momento, como los calambres, podía volver.

Recorrió a pie los dos kilómetros y medio que la separaban de su casa. Había perdido la energía con la que se dirigía al mar por la mañana. Estaba cansada. Siempre estaba cansada cuando volvía a casa, no solo por las zambullidas o por tener que subir la colina, no demasiado empinada, sino porque se alejaba del mar. Y el día siguiente era domingo, no trabajaría, lo que hacía la caminata aún más pesada.

En el cesto de bambú que colgaba de su espalda llevaba siete ostras y la pequeña caballa que le había dado Kenichi. Pasó junto a las rocas de piedra caliza. Ni siquiera estas eran iguales a la vuelta. Por la mañana no eran tan claras, tenían algo de color. Había entrado en calor, se sentía mejor ahora, y aunque el sol del atardecer aún brillaba con fuerza, de vez en cuando le asaltaba un súbito escalofrío que le recorría todo el cuerpo.

Dado que era sábado, cambió un poco su ruta, giró a la derecha y penetró en el olivar que pertenecía a sus distantes vecinos, los Nakamura. Se encaminó hacia la quinta fila y se detuvo en el duodécimo árbol de la hilera. Como el día de su nacimiento: el duodécimo día del quinto mes. Sin quitarse la cesta de la espalda, cavó un agujero, echó una moneda en el saquito, junto a las otras, ató el cordel y volvió a enterrarlo. Aplanó la tierra con algunas palmadas y abandonó el olivar susurrando que volvería a la semana siguiente. Ya casi debe de haber cinco docenas, pensó: una por semana todos en sábados durante la temporada de buceo. No sabía muy bien para qué las ahorraba, pero eso se desvelaría por sí solo a su debido tiempo.

De vuelta en el sendero, a unos ochocientos metros de casa, en el punto donde se desvanecía el sonido del mar Interior, tenía ante sí una magnífica vista de Honshu, la isla principal, situada a once kilómetros de distancia. Las finas agujas de pino amarillentas colgaban secándose al sol. Cuando este las iluminaba por detrás, relucían como las venas azules en la piel de un bebé. Miles y miles de venas finas y blancas, pensó.

Apretó el paso, pues su padre no tardaría en llegar y ella tenía que ayudar a su madre a preparar la cena. La casa estaba al otro lado de la loma; a veces pasaba cerca del arrozal mientras su familia trabajaba allí, en algunas ocasiones conseguía que no la vieran y así no tenía que ayudarles. La mejor época para pasar inadvertida era el final del verano, cuando el arroz estaba tan alto que apenas distinguía el sombrero de su padre, agachado en el arrozal.

Al otro lado de la loma vio la espalda desnuda de su padre y el arroz que le llegaba casi hasta las rodillas. Estaba fumando, con su pose habitual, las manos a la espalda, la cara hacia el cielo, como si contemplara las estrellas. Era la última de las tres pausas que todos los días se permitía para fumar. Ella se dio prisa, caminaba con el mayor sigilo, deseando que su padre acabara de iniciar su descanso. Así era, en efecto, y consiguió que no la viera. Al llegar a casa abrió la puerta.

—Ya estoy aquí —dijo, dejando en la entrada la cesta con las ostras y la caballa. Su madre estaba en la cocina, preparando miso con las almejas que había traído el día anterior.

—¿Has ayudado a tu padre?

—No, estaba a punto de acabar.

—¿Por qué has tardado tanto?

—Es sábado y teníamos que limpiarlo todo.

—Aquí también nos vendría bien un poco de ayuda.

—Trabajo mucho, madre.

—Buceas solo un par de horas y aún no tienes ni veinte años. Demasiado joven para cansarte.

—Es un trabajo muy duro, madre. Deberías probarlo para saberlo.

—¿Por qué hablas siempre tan alto? Estás aquí, a mi lado, no en el arrozal.

—Todas las buceadoras hablan alto. Es una costumbre.

—Pues deja esa costumbre cuando estés en casa. No quiero que te comportes como esa gente tan ordinaria.

—No son ordinarios. Trabajamos con pescadores durante todo el día y hablamos alto por culpa del ruido del mar. Te lo digo todos los días, madre.

—Ya vuelves a gritar.

—Quizá el buceo me ha dañado el oído; como a las demás.

—Y empiezas a parecerte a ellas. Tienes el cuerpo y la rudeza de un hombre. Estamos buscando marido para tu hermana y luego te tocará a ti. ¿Qué hombre querrá casarse con una mujer tan ruda, que habla a gritos?

—He traído ostras y una caballa. ¿Quieres que lo limpie para la cena?

—Sí. Cenaremos temprano. Es sábado.

Se dirigió a la puerta, salió, cerró, vio que su padre había terminado la última pausa del día y reanudaba el trabajo en el arrozal. Al abrir la cesta imaginó que estaba en el fondo del mar con el pico en la mano rompiendo una de las ostras. Fue un pensamiento fugaz, pues sabía que su padre volvería pronto a casa y ella tendría que servirle el té y la cena y el sake, y el día siguiente era domingo, el día más largo de la semana, un día sin mar.

El momento exacto. Su undécima zambullida, el 27 de agosto de 1948, metida entre dos rocas. Un mar en calma. Se esforzaba por arrancar una gran oreja de mar adherida a una roca. Sin pensar en el tiempo, pero consciente siempre de él. Casi al límite de su capacidad pulmonar, con esa tumultuosa sensación que bordea el dolor, el miedo. Sin atreverse a soltar la oreja de mar, porque había aprendido la dura lección y sabía que si lo hacía se escaparía entre las rocas, y ya no la podría atrapar. Tiraba de ella, hacía palanca con la barra. Entonces perdió pie en la base de madreperla y se golpeó el antebrazo izquierdo con una roca; estuvo a punto de dar una bocanada mortal. La oreja de mar se deslizó por entre las rocas, alejándose de ella definitivamente.

Subió manteniendo un ritmo uniforme, a pesar de la presión incontenible de sus pulmones que le instaba a darse prisa. Sabía que estaba sangrando, pues aquellas rocas volcánicas eran afiladas como cuchillas, pero, extrañamente, no sentía nada. Salió a la superficie con las manos vacías. Se agarró a la tina con el brazo derecho y la arrastró hacia la barca. Vio que iba dejando una estela roja de sangre, pero ni siquiera notaba su calor.

—Parece que te has hecho un buen corte —dijo Kenichi.

—Estoy bien. No me duele.

Kenichi puso cara de incredulidad, pero era verdad que no le dolía. La herida parecía seria. Era un corte profundo, aunque limpio, en el centro de la mancha roja que había visto por primera vez un par de meses atrás. La misma que una de las buceadoras había llamado chupetón. Cuando subía a la lancha motora ayudada por Kenichi, pensó que debía de ser a causa de la adrenalina

Trece ostras, tres erizos de mar. Era la segunda vez que volvía más temprano de lo normal. La primera, el día de la rendición.

Solo quedaban unas semanas para que terminara la temporada de buceo, pensó mientras contemplaba la estela espumosa que dejaba la lancha motora. Kenichi se había comprado la lancha en primavera. A ella le gustaba mucho más la barca de remos. Sentía deseos de taparse la cara para evitar el olor del petróleo quemado, pero sujetaba con fuerza la toalla, que se tiñó rápidamente. Pronto sentiría el dolor que había de provocar una herida como aquella. Sabía que le dolería, lo sabía por otras caídas, otras heridas. Y antes incluso de llegar a la playa, empezó a prepararse para el día siguiente, en que tendría que bucear a pesar del dolor.

Pero el dolor no llegó. Apenas sentía una vaga sensación en la muñeca y junto al bíceps, pero el antebrazo seguía misteriosamente insensible. No buceó los dos días siguientes por miedo a una infección. Fue hasta la playa en bicicleta, con la de su hermana mayor, en realidad, pues se había despertado antes que ella y se la había cogido. Tendría problemas al volver a casa, pero en aquel momento, con la brisa del mar en la cara, revolviendo sus cortos cabellos, rozándole las axilas, no pensaba en el pasado ni en el futuro.

Cuando llegó a la playa, se sintió marginada, no porque no hablaran o rieran con ella, sino porque se estaban preparando para salir al mar y la temporada de buceo estaba a punto de acabar. Se acercaba el otoño, se notaba en el aire de la mañana. Para ella, lo más difícil eran las dos primeras semanas después de la temporada de buceo. No más mar. Solo trabajar con la familia recogiendo el arroz. Luego el invierno. El mar estaba demasiado frío incluso para visitarlo. Seis meses de desesperación. Odiaba el invierno, pero despreciaba el otoño, pues lo precedía, y notaba la crudeza de diciembre mucho antes de que llegara.

Una avispa rezagada de lo que quedaba de verano. Su única compañía en el almacén abandonado. Pero aún faltaba para que llamaran a la puerta y dejaran la comida fuera. A veces con una breve nota, otras solo con un pensamiento, a veces con un periódico.

Al principio, no sabía de quién se ocultaba. ¿De su familia, del médico, de sí misma? Después, durante su primera semana allí, recibió una nota de Miyako diciéndole que la policía había ido a verla. En aquellos primeros días escondida, solía husmear a través de la rendija que había entre las puertas metálicas para ver, para escuchar. A veces durante horas. Cuando veía llegar a Miyako colocaba las palmas de las manos sobre la puerta, esperando la llamada, y las dejaba así, aferrándose hasta la última vibración. Miyako dejaba la comida en el suelo y se alejaba deprisa, aunque no demasiado, para no llamar la atención, sin mirar hacia atrás; conociéndola, imaginaba que para Miyako era una tortura no mirar.

Miyako empezó a dejar la comida en bolsas de papel, en lugar de la fiambrera de plástico que había usado el primer día. Ella estaba mirando por la rendija cuando Miyako regresó el segundo día. Contempló con incredulidad el miedo en la cara de la mujer más fuerte que conocía, vio cómo iba en busca de un tubo de metal y empujaba con él la fiambrera de plástico vacía y seguía empujando hasta que ya no pudo verla. Fue la única vez que se permitió llorar, sentir compasión de sí misma. A partir de entonces, después de comer, enrollaba las bolsas de papel y las arrojaba a un rincón del almacén.

La dulce y querida Miyako. El día que el médico le dio la noticia, supo que solo había una persona a quien pudiera contárselo, y era Miyako.

Transcurrido más de un mes desde que se había dañado el brazo, cuando la temporada de buceo había terminado y había pasado la primera semana de octubre, apareció la segunda mancha en la base de la espalda, y tampoco tenía sensibilidad en ella. Y la nariz siempre congestionada. Dejó a su familia trabajando en el arrozal y recorrió los cinco kilómetros que había hasta el pueblo para visitar al médico.

Había oído hablar de la enfermedad, de que había que mantenerse alejado de esa gente, de que habían sido una carga para el país durante la guerra. Sucios. Malditos. ¿Debía tener miedo? No, solo temía tener que decírselo a su familia. Era algo que no se atrevía ni a pensar, algo que no dejaba de ocupar sus pensamientos. No sabía adónde ir. Su familia aún pasaría buena parte de la tarde en los arrozales. Había prometido estar en casa para ayudar. Pero ¿qué significaban las promesas en un momento como aquel?

Cuando abandonó el pueblo se sentía como si todas las personas con las que se cruzaba supieran lo suyo. Pero ¿cómo iban a saberlo? Bajo la fina chaqueta de algodón no era visible ninguna de las manchas. No era más que una chica que caminaba por las calles. ¿Cuánto tiempo transcurriría antes de que lo supiera todo el mundo, antes de que el médico se lo dijera a alguien, y que se extendiera luego como la fina arena roja que llegaba de China con el viento cada invierno, cubriéndolo todo?

Nunca había estado en casa de Miyako, solo había llegado hasta donde se encontraba aquella tarde, junto al cañizal de bambú que bordeaba el sendero. Allí se había quedado esperando, intentando que la luz del sol que se filtraba por entre las cañas la distrajera de sus pensamientos, con las motas de polvo flotando y los insectos revoloteando entre los rayos. Lo intentó.

Aunque se había terminado la temporada de buceo, Miyako seguía yendo hasta el mar durante el otoño y permanecía allí algunas horas cada día. Solo había pasado una semana, pensó ella. Faltaban veintinueve semanas para la siguiente temporada de buceo, doscientos tres días. Aquel pensamiento fue demasiado penoso para ella. Intentó volver a fijar la mente en el sol de media tarde y el bambú.

Vio a Miyako aparecer por la curva, a unos cincuenta metros sendero abajo. Caminaba despacio, con pasos fuertes y breves, balanceándose un poco. Cuando Miyako estaba a unos diez metros de distancia, se colocó delante de ella.

Ninguna de las dos dio un paso más. ¿Lo sabía ya Miyako? Imposible. Pero quizá no tanto. La expresión de Miyako le indicó que ya lo sabía, pero quizá era su propia expresión lo que le decía a Miyako que ocurría algo terrible.

—¿Qué te trae hasta aquí? —preguntó Miyako. Seguían las dos quietas, sin avanzar ni retroceder, clavadas en ese instante como en el fondo del mar, como si el tiempo se hubiera detenido.

—Estoy enferma —dijo ella, atragantándose con las palabras, embrollándolas.

—¿Enferma?

—¿Recuerdas cuando me herí en el brazo hace un par de meses?

Miyako no dijo nada, solo asintió.

—Estoy enferma —repitió ella.

Miyako dio un paso hacia ella, luego otro.

—Lepra.

Miyako no se movió, interrumpió su siguiente paso al oír la palabra.

—¿Por aquella herida?

—No, la mancha ya estaba antes de que me cortara. La semana pasada me encontré otra en la espalda.

Miyako parecía ansiosa por retroceder los dos pasos que acababa de dar, pero su tozudez no se lo permitió.

—¿Qué vas a hacer?

—El médico dice que tengo que ir a un sanatorio.

—¿Cuándo?

—Primero he de hablar con mi familia. Pronto. El médico me ha dicho que no podré volver a bucear porque podría transmitir la enfermedad a través del agua a las demás buceadoras y a los niños que juegan allí en verano.

Ninguna de las dos habló ni se movió. Un barco distante hizo sonar su sirena. Ella dio un par de pasos hacia Miyako, hizo una profunda inclinación y se alejó. Solo volvió la vista atrás una vez, cuando llegó a la curva, y vio a Miyako en el mismo sitio en que la había dejado.

De vuelta en el almacén, con las bolsas de papel de un par de meses apiladas en el rincón formando una pirámide, esperaba los golpes de Miyako en la puerta. Pensaba en su familia y en que habían pasado seis semanas desde la cosecha del arroz. En que no había regresado a casa, que se había pasado horas vagando sin rumbo después de dejar a Miyako y que había acabado en aquel almacén. En que había abierto la puerta, la había cerrado después de entrar, se había dormido, había despertado con hambre, había escrito una nota y la había colocado en la puerta de Miyako, y en que al día siguiente había oído su llamada y había encontrado la fiambrera en el suelo.

Y así había ocurrido todos los días y no podía siquiera imaginar cuántos días iba a continuar así. Solo sabía que se levantaba porque había oído los golpes en la puerta, que era hora de recoger la comida y permitir que los cinco segundos de sol que entraban al abrir inundaran el almacén.

Abrió la puerta sin mirar por la rendija. No había ninguna bolsa de papel, solo dos policías. Salió al exterior y el cielo nublado le dañó los ojos. Cerró la puerta, consciente de que el tenue rayo de sol que se había filtrado en el almacén ya se había esfumado.

Los policías se la llevaron, guardando las distancias. Ella se dio la vuelta preguntándose por la comida del día. Y cuando llegara, ¿cuánto tiempo pasaría allí antes de que las ratas se la comieran y cuánto tiempo tardaría Miyako en dejar de llevársela?

Tiene delante la espalda del hombre que hunde los remos en el agua, lo observa mientras él entierra su pasado en las densas brumas del mar Interior. Rema con movimientos fluidos, pero tensos. Les azotan las olas heladas. Hoy habría preferido la lancha motora de Kenichi. Si el hombre no hubiera sabido adónde se dirigían y lo que les aguardaba en la otra orilla, seguramente habrían ido uno frente al otro, puede que hablando incluso. Si él no hubiera sabido adónde iban y lo que les aguardaba, tal vez le habría echado alguna que otra mirada, como cualquier hombre miraría a una chica de diecinueve años de aspecto normal.

Despliega el paño en el que lleva envuelta la comida: arroz frío y duro. Las bolas de arroz son sencillas, cubiertas de algas saladas. Si hubiera sido un día normal, se habría considerado afortunada. Arroz. Un bien escaso durante la guerra, e incluso ahora, tres años después. Se come dos bolas de arroz. Sin saborearlas en absoluto, solo para matar el hambre. Le pregunta al hombre si quiere. Ve que los hombros se tensan, que los remos pierden el ritmo tal vez un par de veces. Rápidamente, el hombre se recupera. Su silencio es más frío que el arroz, que la madera de la barca, o que sus orejas.

Mirando por el costado, ella intenta adivinar la profundidad del agua, pero no puede concentrarse. Se echa hacia atrás y contiene la respiración, contando las paladas. Quince. Veinte. Cuarenta. Podría seguir sin respirar, pero lo deja al darse cuenta de que la bruma se está aclarando y que Nagashima está cerca. Lo bastante cerca para distinguir que los árboles son pinos y no cedros. Si el mar no hubiera estado tan encrespado, seguro que habría podido ver el fondo del mar. Podría haber saltado por la borda y llegar a tocarlo. Su verdadero lugar.

El hombre aumenta el ritmo, ahora rema más deprisa, y lo mantiene hasta que golpean el fondo rocoso y ella cae contra el costado de la barca.

El hombre no abandona la barca, pero, por primera vez en el largo trayecto, se encuentran frente a frente: ella en el muelle de cemento, él, remando otra vez, siempre de espaldas al lugar al que se dirige, mirando el lugar del que parte. Ella contempla cómo se aleja despacio. Debe de estar exhausto, pero es tal su desesperación por alejarse de aquel lugar, que rema y rema sin descanso. Sin embargo, no ha llegado muy lejos, quizá a unos cincuenta metros, cuando se detiene. La barca cabecea, se inclina a causa del peso del hombre cuando este saca el remo izquierdo de su engarce y lo levanta, cogiéndolo por el extremo. Se agacha y, usando la parte ancha del remo como pala, recoge las dos bolas de arroz que le había dejado ella y las arroja al mar. Las dos bolas se hunden como piedras. El hombre vuelve a colocar el remo en su sitio y empieza a remar de espaldas al pasado.

Al mismo tiempo que nuestros generales* se balancean azotados por el viento de diciembre, se inicia la época de su aislamiento. Es el decimoquinto cumpleaños del futuro emperador, cuarenta y un años antes de que comience su reinado.

Está allí, en aquel muelle, el muelle de arribo, observando al hombre que rema, hasta que desaparece en el mar igual que las bolas de arroz. El mar. A partir de este día, será siempre diferente para ella. No lo odiará, eso nunca, pero será algo que separa. Hasta ese momento siempre había sido un nexo: entre una isla y otra, entre los pescadores y sus hogares. Pero hoy es, y será ya siempre, un medio de separación.

Dos hombres con mascarillas de médico la conducen por el estrecho muelle, donde varias barcas de remos muy parecidas a la que acaba de marcharse parecen descansar. Pasan por delante de un pequeño cobertizo bajo cuyo tejado de zinc se cobijan aperos de muchas clases distintas. Tiene el estómago revuelto y el arroz frío le pesa como plomo. Se detiene para apretarse el estómago y reprimir las arcadas.

—Date prisa, hay mucho que hacer —dice uno de los hombres, unos pasos por delante de ella.

Un par de bocanadas de aire le ayudan a continuar caminando tras los dos hombres, que entran en un gran edificio de

* Se refiere a los generales japoneses que, juzgados como criminales de guerra por un tribunal internacional, fueron condenados a la horca y ejecutados en diciembre de 1948. El primer ministro durante la guerra, Tojo Hideki, que ordenó el ataque contra Pearl Harbour, fue uno de ellos. *(N. de la T.)*

muros cubiertos de hiedra. A la derecha ve una caja de madera para los zapatos. Tiene el techo más alto que ha visto en su vida.

Se quita los zapatos y, cuando está a punto de dejarlos en la caja, aparece de la nada una mujer con gruesos guantes de goma, se los arranca de las manos y los echa a un saco de arpillera.

—Entra en esa habitación y pon todas tus pertenencias en una de esas bolsas. —Los hombres siguen manteniéndose a unos pasos de ella. Nunca se acercan.

El viento que entra del exterior levanta las sucias cortinas que cubren el cristal de la puerta. Ella entra en la habitación y, antes incluso de que pueda cerrar la puerta, vomita todo el contenido del estómago en el suelo. El olor a productos químicos la aturde. La habitación es grande y la altura del techo hace que parezca aún más grande. Una enfermera le tiende un cubo y un trapo.

—Cierra la puerta y limpia eso. Cuando termines, ponte detrás de esa cortina y desnúdate completamente.

Ella vuelve a vomitar. Las botas de goma de la enfermera resuenan con golpes secos cuando se aleja rápidamente.

Ella limpia el suelo, donde queda la mancha del vómito, se acerca a la cortina y la corre. Sobre un colchón sucio hay una mujer sentada, lo bastante vieja para ser su madre. Tiene la mano izquierda sobre el pubis y la derecha sólo cubre la mitad de sus pechos.

—Disculpe. Lo siento.

Se aleja del rincón separado por la cortina.

—Date prisa y desnúdate —le dice la enfermera señalándole el sitio que acaba de abandonar.

La mujer mayor se da media vuelta manteniendo los dedos largos y curvos en el mismo sitio que antes. En la espalda tiene manchas rojas. Mayores cuanto más abajo están. Sus cabellos son como el nido de una golondrina después de un tifón, desparramado y sin huevos. Su rostro, redondo como un cuenco de ramen,* está limpio, salvo por un punto rojo bajo el ojo derecho. Quedándose lo más lejos posible de la mujer que hay sentada en la cama, ella se pone de espaldas y se desnuda. Esconde el portamonedas dentro del bolsillo de la chaqueta. Hace frío en la habitación; otras veces ha pasado más frío —cuando buceaba a principios de mayo—, pero la vergüenza que siente hace el frío más insoportable.

Alguien aparta la cortina bruscamente. Por primera vez en su vida está desnuda delante de un hombre. Instintivamente, se tapa las partes más íntimas, como la mujer sentada al borde de la cama.

—Aparta los brazos y ponte derecha —le ordena el médico. Ella oye las palabras, pero el médico lleva la nariz y la boca cubiertas por una mascarilla blanca que impide que se entienda lo que dice.

—¡Ponte derecha! —Ella ve que la mascarilla se mueve, oye de nuevo las palabras y ve los ojos del médico tras las gafas de montura negra que lleva torcidas. El médico se acerca. Ella se sujeta al borde de la cama, pero las piernas le flaquean y, cubriéndose todavía con los brazos, cae al suelo. El techo es un cielo claro y azul. Infinito. La mujer mayor dice algo que ella no comprende y sus horribles manos como garras le tocan la cara.

—¡No me toque! —chilla ella—. ¡Que nadie me toque!

La mujer mayor retrocede con un respingo y vuelve a taparse el cuerpo.

---

* Fideos chinos de trigo. *(N. de la T.)*

—Levántate para que podamos desinfectarte —grita el médico.

Ella busca sus ropas, pero han desaparecido, intenta agarrar una sábana, pero solo hay colchón. Se echa a llorar.

—Basta de tonterías.

El médico la agarra por el brazo y la levanta a la fuerza. El tacto del grueso guante de goma por encima de su codo es frío y viscoso como el de una ostra cruda en enero. La llevan a otra habitación. El médico le dice que se tumbe en la cama, cubierta por un plástico. Primero le palpa el estómago. Le examina las orejas, la nuca, las axilas y las nalgas, sin dejar de hacer todo el tiempo un sonido como si succionara sus propios dientes. Le abre las piernas y el guante le hace daño cuando la toca ahí abajo; le duele toda la piel como si estuviera deslizándose desnuda sobre hielo. Ve que empieza a formarse un gran moretón en el brazo izquierdo a causa del golpe en el suelo. Se extiende hasta alcanzar la cicatriz de la herida que se hizo buceando. Hace siglos. Tiene los ojos clavados en la mancha, en el morado azul verdoso y negruzco que se extiende sobre ella y a su alrededor. Sin apartar la vista, intenta crear un mapa con él. Yakushima. Igual que la isla de Yakushima, enteramente redonda salvo por una pequeña desviación en el lado superior izquierdo. Nota las manos del médico en la parte posterior de las piernas, en las plantas de los pies.

—Date la vuelta.

Ella se da la vuelta sin saber lo que hace. Unas frías lágrimas le resbalan por la mejilla y caen en la sábana de plástico.

Nota las manos del médico en los pechos, en el estómago, dentro de ella, por los muslos, por las rodillas llenas de cicatrices de bucear, por los pies y entre los dedos.

—Levántate —le ordena él, y abandona la habitación.

Lo peor ha pasado. «Ya has pasado por lo peor», no deja de repetirse ella una y otra vez.

Una enfermera entra y la conduce a la parte posterior del edificio. El frío se intensifica. Nunca ha sentido tanto en su vida. Empieza a oler a productos químicos.

—Mantén los ojos cerrados.

Está rodeada por el olor químico, impregnada de él. Es como una segunda capa de piel. Toma aire tratando de ahogar las lágrimas que pugnan por salir. Le quema la garganta, le gotea la nariz. Esta vez los ojos dejan escapar unas lágrimas ardientes. Le quema toda la piel, pero sigue notando el frío guante de goma entre las piernas. La sacan de la habitación, le dan una fina túnica y se encuentra delante de un hombre joven, sentado a una mesa. Está sudando. Tiene temblores. Le duele el brazo izquierdo por donde el médico la ha agarrado, no nota nada en la mancha roja del antebrazo, donde se extiende el morado.

—Tengo que hacerte unas preguntas, pero son solo para nuestro archivo. Tu vida empieza aquí y ahora, en este mismo instante. ¿Lo entiendes?

—Sí —contesta ella.

—¿Cuántos años tienes?

—Diecinueve.

—¿De dónde eres?

—De la isla de Shodo.

—Muy bien. Tu número es el dos mil seiscientos cuarenta y cinco. No lo olvides. Dos mil seiscientos cuarenta y cinco. Repítelo.

—¿Y por qué no apunta mi nombre?

—Te he dicho que debes olvidarlo todo. El nombre y todo

lo demás. Bórralo de tu cabeza como si nunca hubiera existido. Lo mismo digo de tu familia. Todo empieza para ti aquí, ahora. Tu número, ¿cuál es tu número?

—Dos mil seiscientos cuarenta y cinco.

—Otra vez.

—Dos mil seiscientos cuarenta y cinco.

—Ahora tienes que elegir un nuevo nombre.

—Pero ya tengo nombre.

—¿No has oído lo que te he dicho? Has llevado la vergüenza a tu familia y, por el bien de ellos, deben borrar tu nombre del registro familiar. Como si... —El joven hizo una pausa.

—Como si estuviera muerta.

Al joven no le gusta lo que ha dicho.

—Hoy empieza tu pasado. Veintitrés de diciembre de mil novecientos cuarenta y ocho. Has nacido hoy. Será más fácil para ti si lo miras de esa forma.

—Pero no he pensado en ningún nombre.

—Tienes tiempo hasta mañana.

Fuera, el crujido de las barcas de remos amarradas al muelle de madera. Eso es lo que parece oír. Tiene la vista fija en el techo. Está cansada, más cansada que el hombre que la ha llevado remando hasta allí y que ya debe de estar durmiendo en su casa.

A su alrededor, en esta primera noche de aislamiento, hay otros cuerpos. Algunos tienen manchas como las de la mujer mayor que había visto antes. Otros, están aún peor. Algunos tienen la cara y las extremidades deformadas. Algunos son como ella: sin huellas visibles hasta que se desnudan. No usa la manta; no sabe quién puede haberse envuelto en ella la noche anterior. Se enrosca sobre sí misma, pero hace frío. No es el frío de los guantes del médico. Nunca volverá a sentir ese frío. Se tapa la cara con las manos para protegerse un poco del hedor a desinfectante, pero también sus manos huelen, todo tiene el mismo olor, la habitación, el edificio, la isla. Por primera vez en años, su piel no huele a mar.

Intenta pensar en un nombre. No parece tan difícil. Elige un nombre. Cuando era pequeña, a menudo inventaba nombres para jugar. Era fácil. Nunca lo había pensado, pero somos afortunados porque son los padres los que tienen la responsabilidad de darnos un nombre. Pero ahora ella es madre y bebé a la vez. Y no solo ha de elegir un nombre, sino también un apellido.

La mujer de al lado tampoco puede dormir; se ha pasado la noche dando vueltas. Le pregunta su nombre. La mujer musita algo que no comprende. Quizá está dormida, piensa ella. Vuelve a preguntar, pero sigue sin comprender la respuesta. Un hombre, que está un par de esteras más allá, le dice:

—Mang. Se llama Mang. No habla mucho japonés.

—¿No habla japonés?

—Es coreana.

Ella no sabe qué decir. ¿Qué hace allí una coreana? El hombre rompe el silencio.

—Yo me llamo Shikagawa. ¿Por qué quiere saber el nombre de todo el mundo?

—Porque me han dicho que tenía que elegir uno para mí.

—Eso no es fácil. Tiene que pensar en algún momento feliz de su vida. Conviértalo en un nombre.

—Se supone que no debemos volver a pensar en nuestro pasado.

—Eso es solo lo que ellos dicen. Saben que es imposible, pero ¿qué otra cosa pueden decirnos?

—¿Por qué eligió Shikagawa?

—Cuando era niño, veía a veces a un ciervo bebiendo agua en un río que había junto a la casa de mi familia. Así que elegí Shikagawa, «Ciervo que bebe en el río».

—Eso es muy hermoso.

—Al menos tengo algo que lo es. Por eso es tan importante que se lo piense muy bien. Ahora voy a callarme. Buenas noches. Le preguntaré su nombre por la mañana.

Durante la primera semana solo tiene un sueño. Quizá sea porque duerme muy poco. Es el mismo sueño que se repite una y otra vez, muy corto y exactamente igual al anterior. El hombre que la ha traído hasta aquí ha vuelto a la isla de Shodo y arrastra su barca hasta la orilla. Y aunque está a punto de acabar el mes de diciembre, se quita los mitones de las manos, y luego el sombrero, la chaqueta, la camisa, los calcetines, los pantalones y la ropa interior, y lo arroja todo al interior de la barca. Vacía entonces una lata de queroseno sobre ella y le lanza una cerilla prendida. Todo se ve en blanco y negro, incluso las llamas. El hombre no se queda junto al fuego para calentarse, sino que sale corriendo desnudo, y allí está ella, en la playa, contemplándolo por entre las llamas, hasta que desaparece de su vista.

Los artefactos de Nagashima

Todo artefacto tiene una docena de historias, un millar.

ARTEFACTO NÚMERO 0012:

EL DINERO DE NAGASHIMA

Las monedas:

Un sen: forma ovalada. Anverso: negra con borde dorado, un agujero en el centro, la cantidad y Leprosería Nagashima, en kanji. Reverso: bronce sin dibujos.

Cinco senes: forma redonda. Anverso: negro con borde dorado, un agujero en el centro, la cantidad y Leprosería Nagashima, en kanji. Reverso: bronce, sin dibujos.

Diez senes: forma redonda, un poco más grande que la moneda de cinco sens. Anverso: negro con borde dorado, un agujero cuadrado en el centro, la cantidad y Leprosería Nagashima, en kanji. Reverso: bronce, sin dibujos.

Cincuenta senes: forma redonda, un poco más grande que la moneda de diez sens. Anverso: negro con borde dorado, sin agujero en el centro, la cantidad y Leprosería Nagashima, en kanji. Reverso: bronce, sin dibujos.

Cien senes: forma ovalada, la moneda más grande. Anverso: dorado con borde negro, sin agujero en el centro, la cantidad y Leprosería Nagashima, en kanji, el dibujo de una mano sosteniendo en abanico al pie. Reverso: dorado, sin dibujos.

Papel moneda:

Un yen: forma rectangular. Anverso: blanco con tinta negra. La fecha escrita a mano a lo largo del lado izquierdo, Leprosería Nagashima, en kanji, impreso al pie de derecha a izquierda, la cantidad en el centro. Reverso: blanco.

Cinco senes: forma rectangular, un poco más grande que el billete de un yen. Anverso: blanco con tinta negra. La fecha escrita a lo largo del lado izquierdo, Leprosería Nagashima, en kanji, impreso al pie de derecha a izquierda, la cantidad en el centro; a la derecha de la cantidad, un dibujo de un pequeño sol saliendo sobre una isla, con finos rayos que se extienden a lo lejos; a la izquierda, el dibujo de paja brava doblada por el viento. Reverso: blanco.

Y el séptimo día de la primera semana, la última de 1948, ella recibe su dinero, igual que el resto de los nuevos pacientes.

ARTEFACTO NÚMERO 0022:
LOS QUE LLEGARON EN 1948

Un estudiante de tercero de ingeniería.
Cuatro pescadores.
Dos madres.
Un chico que había acabado el séptimo curso de primaria.
Un poeta de tankas.

Tres veteranos de la Segunda Guerra Mundial y un kami-
kaze de veinte años que sobrevivió.

Una joven que iba a casarse al cabo de dos semanas.

Un jugador de mahjong.

Cinco chicos y chicas de instituto.

Un hombre de veintiséis años que trabajaba en los astilleros.

Un jugador de béisbol semiprofesional.

Tres maestros: dos mujeres y un hombre que era el director de la orquesta de un instituto.

Un sacerdote budista.

Tres cristianos.

Un subastador de pescado.

Dos funcionarios del gobierno y un policía.

Cinco coreanos: una mujer y cuatro hombres.

El dueño de un comercio de sushi.

Dos miembros del Partido Comunista.

Dos mineros del carbón.

Un revisor de tren.

Tres enfermeras.

Siete campesinos.

Dos obreros de la construcción.

Un estudiante de derecho.

Una buscadora de perlas.

Artefacto número 0196:

Una hoz herrumbrosa

Ella ve al hombre con la hoz en la mano derecha, pero ve lo
mismo todos los días muchas veces. Los pacientes que con-

servan algo de salud lo hacen todo allí: cuidar de los huertos, pescar, atender a los demás enfermos, enseñar, construir edificios. Son a la vez pacientes y parte del personal. De modo que, sí, le ve, pero no le parece nada insólito ni sospechoso. Simplemente camina con una hoz pequeña en la mano. Mucha gente lleva objetos de todo tipo: hoces, rastrillos, palas, arados, carretillas de mano.

No es mucho mayor que ella, unos veinticinco años tal vez, no más de treinta, en todo caso. Ella sabe que es un paciente nuevo y que, al igual que ella, no muestra huellas físicas de su enfermedad. Va sin camisa, y no tiene ninguna marca en el torso, solo una gran mancha roja en la mano izquierda. Una mancha que resalta aún más porque está muy moreno.

Ella está en lo alto de la colina, en el Edificio A-15, masajeando las piernas del señor Mimura, cuando oye gritos abajo, cerca del mar, donde está la mayor parte de los huertos. Se acerca a la ventana y no ve nada, pero sigue oyendo el barullo.

—Ahora mismo vuelvo, señor Mimura.

—Lléveme con usted.

—Solo será un momento. Quiero ver qué son esos gritos, nada más.

—Lléveme.

Ella levanta al señor Mimura de la cama (es como un pájaro huesudo; no pesa mucho más que su tina de madera de cedro llena de las capturas del día) y lo coloca sobre una carretilla. El señor Mimura lleva allí desde 1933, quince años antes de que ella llegara. Tiene cincuenta y tantos años y es uno de los pacientes más viejos. Ella lo conduce al exterior y ve a un gran grupo de gente que corre colina arriba llevando a alguien. Se dirige entonces hacia ellos corriendo y está a punto de volcar la carretilla con el señor Mimura en su interior. Los demás pasan a toda prisa y ella los sigue hasta el hospital. El brazo izquierdo del hombre sangra profusamente, pero es el barro mezclado con la sangre lo que llama su atención. Un rastro de sangre y barro que asciende por la colina desde el mar.

No pasan ni quince minutos cuando sale el médico y dice que el hombre ha muerto desangrado. El médico ordena a varios pacientes que lleven el cadáver al crematorio.

Ella empuja al señor Mimura de vuelta al cobertizo, pero él le da un puñetazo con su mano nudosa.

—Baje a la playa.

—Hoy no, señor Mimura. Tengo muchas cosas que hacer.

—Baje a los huertos. Ahora.

El señor Mimura siempre se muestra cortés y tranquilo, y ella lo lleva a los huertos solo porque ese tono exigente no es propio de él. Solo tienen que subir por una loma y bajar por otra; están a finales de abril, no hace mucho calor. Hay unas cuantas personas trabajando en los huertos y el señor Mimura le indica que se desvíe hacia la derecha, hacia los huertos más cercanos a la playa.

—Ayúdeme a salir de aquí.

Ella lo levanta de la carretilla y le ayuda a llegar hasta el bancal de patatas caminando, sus piernas son flacas como las patas de un pájaro. Junto a una gran roca hay una hoz ensangrentada (igual que la que llevaba aquel hombre por la mañana), que el sol había vuelto granate. Sobre la roca está la mano izquierda del hombre con la gran mancha roja todavía en el dorso. Ella contempla la montaña que se eleva sobre el extremo más alejado de la península.

—Ayúdeme a volver a la carretilla.

Ella sostiene al señor Mimura, lo levanta y lo sienta en la carretilla, luego empuja para subir la primera loma, bajar la siguiente, pasar junto al cobertizo y dar toda la vuelta para llegar a una pequeña cala al otro lado de Nagashima.

Aún no han quemado el cadáver. Con su ayuda, el señor Mimura se acerca al cuerpo desnudo. Ella lo contempla. El hombre tiene varias cicatrices en el hombro derecho, cicatrices cuya historia no conocerá jamás ninguno de los que están en aquella habitación. Ella aparta la cabeza, pero cuando el señor Mimura coloca la mano izquierda cortada sobre el pecho del hombre, vuelve a mirar. Se quedan allí esperando a que el cadáver se deslice hacia el interior del horno.

Artefacto número 0151:
Una foto del ministro de Sanidad, Tsujino,
y los quince directores de las leproserías
de la nación. Tokio. Japón. 25 de junio de 1949

Sentados alrededor de la mesa oval, una espesura de trajes. En la dirección de las agujas del reloj: el doctor Nishi. El doctor Yoshimura. El doctor Etoh. El doctor Barayama. El doctor Nomura. El doctor Ishihashi. El doctor Oishi. El doctor Nakamori. El doctor Saitoh. El doctor Wakabayashi. El doctor Yamashita. El doctor Fujita. El doctor Ikuta. Presidiendo la mesa, el doctor Tsujino, ministro de Sanidad.

El humo de los cigarrillos que ha llegado ya hasta el techo baja de nuevo para asentarse junto a sus cabezas. El ministro de Sanidad, Tsujino, tiene que entornar los ojos para ver a los quince hombres de la sala a través de la niebla. Inclina la cabeza hacia la mesa antes de hablar y casi toca su taza de té.

—Con el desarrollo del Promin y sus positivos resultados para detener el avance de la enfermedad, podemos enfrentar con más optimismo el futuro y empezar a pensar en dar el alta a algunos de los pacientes. Al menos a los que han sido admitidos más recientemente.

El silencio pende en el aire. El ministro Tsujino espera, da un par de sorbos a su té verde, ya tibio, espera un poco más antes de inclinar de nuevo la cabeza y vuelve a tomar la palabra.

—Este medicamento es lo que hemos estado buscando durante tanto tiempo. Una oportunidad de librarnos de esta enfermedad. Las condiciones son ahora muy distintas de las que había hace cuarenta años, cuando teníamos que poner a los pacientes en cuarentena. Son distintas incluso de las de hace apenas un año. Puede que haya llegado el momento de cambiar la ley de prevención de la lepra. Cada uno de ustedes debería empezar inmediatamente a compilar una lista de sus pacientes más recientes, empezando por los que fueron ingresados a principios de mil novecientos cuarenta y seis, y también los casos más leves. Los enfermos cuyas cicatrices físicas no son tan visibles. Estas personas deberían reintegrarse en la sociedad. Si no es en sus comunidades de origen, sí al menos en algún otro lugar.

Una vez más, cuando deja de hablar, no hay más que silencio. Aunque en esta ocasión, se rompe al poco.

—No podemos obligar a los ciudadanos de la nación a aceptar a esta gente. Imagine cómo se extendería el pánico. Sería una calamidad —dice el doctor Takada.

—Pero si soltamos solo a aquellos en los que la enfermedad no ha avanzado, podemos tratarlos con el fármaco sin necesidad de aislarlos. Otros países han empezado a implantar esta política. Tenemos cerca de setenta mil pacientes en nuestras instalaciones. Si podemos liberar a un cincuenta o incluso un cuarenta por ciento en un futuro próximo, piensen en el dinero que ahorraríamos. Algunas de las instalaciones más pequeñas podrían cerrarse incluso, y los pacientes que no quedasen en ellas podrían trasladarse a las instalaciones más grandes. Aquí, los del norte. En Nagashima, Kagoshima, Kumamoto, los del sur.

—No piensa usted en el bien superior del pueblo. La teoría del doctor Mitsuda, de mil novecientos treinta y uno, establece claramente que esta gente debe aislarse de la sociedad. Lo establece claramente. Su teoría se conoce en el ámbito internacional.

—Con los debidos respetos al doctor Mitsuda, al que hace muchos años que conozco, desde la época en que era director de Nagashima, y a pesar de mi admiración por él, su teoría de aislar a los pacientes es anterior a la introducción del Promin. Este fármaco lo cambia todo. Por muy correcta que fuera la teoría en su época, ha dejado de tener validez.

—Hace menos de dos años que empezamos a usar el fármaco. No podemos dejar que vuelvan a la sociedad. ¿Ha visto a algunos de estos pacientes? Serían objeto de ridículo durante el resto de su vida. ¿Y si se casan y tienen hijos?

—Sí, por supuesto que los he visto, doctor Takada. Por eso debemos soltarlos paulatinamente. Primero los mejores pacientes. Algunos de ellos no tienen prácticamente ninguna huella física de la enfermedad. En cuanto a la posibilidad de que funden familias, el año pasado se aprobó la ley de eugenesia que puede ocuparse del problema antes de que abandonen el aislamiento.

—¿Adónde irán? Sus familias los han repudiado. Sus nombres se han eliminado de los registros. No tienen contacto alguno con la sociedad.

—Pero si detenemos la enfermedad y no empeoran, quizá sus familias reconsideren su posición. Estoy hablando de los pacientes de menor riesgo. Serían tratados como pacientes externos. Además, nuestro deber es educar al público.

El silencio se adueña de nuevo de la sala; los ventiladores lo dispersan por todas partes.

—¿Qué piensa el resto de los presentes? —pregunta el ministro Tsujino.

No hay respuesta. Los ventiladores siguen emitiendo su ruido metálico. Algunos se secan el sudor de la cara, dejan escapar suspiros ahogados, se secan la nuca pues el sudor amenaza con ensuciar el blanco cuello de sus camisas.

—¿Qué tal si alzan la mano los que estén a favor de la reintegración de los pacientes?

Aunque le resulta difícil ver a los que están más lejos de él a causa del humo, el ministro Tsujino sabe que no necesita verlos, porque no hay una sola mano alzada en toda la mesa oval.

Artefactos números 0147 y 0272:
Una piedra roja con una franja negra que la atraviesa.
Una moneda gastada de un yen

Desde las rocas al pie del acantilado, ella contempla la herida sangrante del horizonte matinal. La marea baja deja pequeñas charcas en las grietas de las rocas sobre las que ella está sentada.

Sabe que veintitrés pacientes se estrellaron contra aquellas rocas y exhalaron su último suspiro. ¿Qué fue lo último que vieron? ¿Fue algo hermoso? ¿Fue como la garza blanca que ahora ve rosada por la luz del amanecer, posada sobre una pata, mirando con el rabillo del ojo un pez que salta unos centímetros fuera del agua? ¿O cerraron los ojos, porque no les quedaba nada por ver? ¿Fue en una noche sin luna, salieron a hurtadillas de su habitación, buscaron el sendero a tientas, pasaron por delante del cañizal de bambú y, finalmente, el cedro delgado y retorcido que hay en lo alto del acantilado, en una noche oscura en la que nada se podía ver, aun con los ojos abiertos? ¿Cuántos más, aparte de los veintitrés de los que ella tiene noticia, en los diecisiete años anteriores a su llegada?

Ella ayudó a recogerlos. A transportar los cuerpos por la playa pedregosa y llevarlos más allá de los campesinos de Nagashima, que se quitaban el sombrero y dejaban descansar rastrillos y azadas, y de los pescadores de Nagashima, que dejaban las redes apiladas a sus pies. Los cuerpos se introducían en una carretilla de mano y emprendían el viaje final hacia el crematorio.

Esta mañana, no está allí para llevarse ningún cadáver, sino porque le gusta el lugar. Este lugar de muerte hace que se sienta extrañamente viva. Es un lugar donde puede estar sola, lo cual es muy difícil en la isla, más aún para los enfermos que están ciegos o confinados a una silla de ruedas.

Enclavada entre las pequeñas gargantas de las rocas, ve la costa oeste de la isla de Shodo, donde, un poco más allá del recodo, a unas pocas horas de navegación, empezarán a zambullirse las buceadoras. A veces, aunque ahora con menor frecuencia, siente que la energía de las buceadoras atraviesa las siete millas del mar Interior para llegar hasta ella. Como aquel cálido tsunami procedente de Hiroshima que notó en agosto, el agosto que el país recordará sin necesidad de citar el año.

El sol ha ascendido lentamente por encima de la colina; al este de la isla, una barca pesquera se dirige a puerto y la gran campana del templo de Nagashima da la hora. Despacio. Despacio. Despacio. Despacio. Despacio. Despacio.

Durante la semana, ha visto varios amaneceres en que las rocas han quedado al descubierto, bañándose al sol, creando un sendero que lleva a una diminuta isla que hay frente a Nagashima. Delante se yergue una gran puerta *torii** de cemento. Desde su llegada, ella no ha dejado de pensar en cruzar los cien metros que la separan de la diminuta isla. Ha reprimido su deseo, preguntándose cada vez si se consideraría un intento de fuga. ¿Sería posible? La isla está rodeada por el mar Interior, no hay más tierra que Nagashima a menos de una milla de distancia. Pero ella no hace las normas ni puede violarlas.

Hasta que una semana antes vio a un hombre que cruzaba hasta la isla diminuta y supo que también ella podía hacerlo.

El mar se retira y deja a menos de un metro las rocas que forman el sendero hacia la isla. Antes de volverse para dar comienzo a la jornada, una hermosa piedra roja capta su atención desde el fondo del acantilado de los suicidas. La coge, parece coral, con trozos de conchas blancas fosilizados y una reluciente franja negra de lado a lado, como si alguien hubiera dado, por una sola vez, un roce caligráfico. Asciende por la

---

* La puerta que indica la entrada a un altar sintoísta, y señala la separación entre el mundo físico y el espiritual. *(N. de la T.)*

cuesta poco empinada que sube desde la playa, llevándose la piedra consigo.

Mientras le da un masaje a la señorita Min, le pregunta por la isla. La señorita Min llegó aquí en 1943. Se la llevaron de su casa junto con su hermano como esclava de guerra, para trabajar en las minas de carbón de Kyushu. En el puerto descubrieron que tenía lepra y no la enviaron a las minas, sino aquí. Aunque se llevan menos de diez años, la enfermedad de la señorita Min está mucho más avanzada. Mientras les da masajes, ella intenta no involucrarse emocionalmente con los enfermos, procura no pensar demasiado, pero con la señorita Min le resulta muy difícil. No tiene ante ella a una mujer de treinta años, sino que aparenta veinte más, una sombra apenas de lo que debió de ser diez años antes.

A ella le gusta la señorita Min, pues casi siempre le cuenta historias durante los masajes. Si son ciertas o no, no lo sabe muy bien. A veces escucha las historias atentamente, otras, deja que las palabras se fundan con el ritmo de sus manos al frotar.

—¿Ha ido alguna vez a esa pequeña isla? —pregunta a la señorita Min.

—¿Para qué iba a hacerlo?

—Para ver lo que hay allí.

—Estoy segura de alguien que habrá ido. Tiene esa enorme puerta *torii*.

—Vayamos un día juntas.

—¿Está permitido?

—No veo por qué no. No puede decirse que sea un lugar donde merezca la pena fugarse, ¿no cree?

—No, desde luego.

Dos días después, estaban juntas en el muelle, viendo cómo el agua se retiraba de las rocas.

—Solo disponemos de una hora y media antes de que el mar vuelva a cubrirlas.

Ella coge la mano de la señorita Min, cuyos dedos se han reducido a la mitad de su tamaño. La mano está fría como el hielo, a pesar de que el aire otoñal aún no ha perdido todo el aliento estival.

—¿De qué tiene miedo?

—Ya le he dicho que no sé nadar.

—¿Quién necesita nadar? Sabe caminar, ¿verdad?

—¿Y si la marea sube antes?

—Las mareas han seguido el mismo horario desde mucho antes de que nosotras viniéramos aquí. ¿Por qué iban a cambiar hoy?

Ella la ayuda a pasar por las rocas, algunas de las cuales son tan altas que les llegan hasta las rodillas, el sol y el viento no las han secado aún. Los pies de la señorita Min están destrozados, lleva unas plantillas planas de plástico en las botas para ayudarla a andar. La mayoría de las rocas son muy afiladas. Como las rocas volcánicas. Como la roca que le hirió el brazo en el fondo del mar. Cada paso que dan ahuyenta a bancos de peces y parece que las rocas se muevan.

Se encuentran bajo la puerta *torii*, que es unas tres veces más alta que ellas. La señorita Min respira con dificultad, pues el trayecto la ha fatigado mucho. Sobre la puerta hay unas cuantas piedras que alguien ha arrojado. Da buena suerte que aterricen allí. Pero ¿cuándo? ¿Ha cambiado la suerte de quien las arrojó? Dado que hay una puerta, ha de haber también un altar sintoísta.

—Voy a inspeccionar por ahí. ¿Quiere venir?

—No, me quedaré aquí. No se vaya muy lejos. La marea volverá a subir pronto.

—Aunque quisiera no podría ir muy lejos, señorita Min. Y falta más de una hora para que suba la marea. No tardaré.

Ella bordea la isla, que no tiene forma de canica, como pensaba. Cuando llega a la orilla sur encuentra unas grandes rocas, muy parecidas a las del acantilado de los suicidas. Las de color marrón claro están recubiertas por viscosos faldones de musgo.

—¡Señorita Fuji!

Es la voz de la señorita Min, presa del pánico. Vuelve tan deprisa como le es posible, y al cabo de unos minutos encuentra a la señorita Min abrazándose las rodillas contra el pecho.

—¿Qué ocurre? —pregunta ella, resoplando por la breve carrera.

—La marea está subiendo. La marea.

—No es la marea. Es el oleaje que ha provocado esa barca al pasar. Ya le he dicho que la marea no subirá hasta dentro de una hora.

El tono de voz le ha salido mucho más áspero de lo que pretendía, lo que deja una expresión dolida en la señorita Min.

—Vamos, la llevaré de vuelta.

Regresan pasando por encima de las rocas ya casi secas. Ella conduce a la señorita Min de vuelta a su habitación y le ayuda a quitarse las botas de goma. Luego saca las plantillas ortopédicas para que se aireen, y aunque no es siquiera mediodía, le prepara el futón, colocando el lado más sucio sobre las finas esteras de paja que cubren el suelo mugriento.

Al menos tenemos las esteras de paja, piensa, recordando los primeros meses, cuando dormían directamente sobre el suelo. Cubre los pies de la señorita Min con una manta, mete las manos debajo de ella y empieza a darles un masaje para que se calienten un poco. Sabe que la señorita Min no nota casi nada, o nada en absoluto, pero eso ya no le produce frustración. La señorita Min charla un poco sobre su familia y le dice que cultivaban coles en Corea, pero que ahora ni siquiera puede comerlas. Ella no la escucha, solo piensa en la isla y en que no era tal como la había imaginado.

Dos semanas después regresa a la isla sola. El sendero se abre a primera hora de la tarde. Vuelve a recorrer la isla y llega al otro lado, donde las grandes rocas forman una estrecha y larga península que se adentra en el mar. Es un lugar extraño, pues la parte circular de la isla está cubierta de profusa vegetación, mientras que allí solo hay rocas desnudas. Saca papel y lápiz y empieza a dibujar. Nunca ha tenido vena de artista, pero consigue trazar un esbozo bastante realista. Mapas. Siempre le han gustado, desde que le alcanza la memoria. Los examinaba cuando era niña y hallaba en ellos figuras de dragones, o personas, o cualquier otra cosa. Volvía los mapas por todos lados y los retorcía, creaban una imagen diferente cada vez.

Sigue caminando alrededor de la isla. Solo tarda unos minutos en recorrerla. Más allá de la puerta *torii*, distingue lo que parece un sendero que conduce a la cima de la colina. Vuelve la mirada hacia Nagashima y le sorprende comprobar lo cerca que está. Al otro lado de la pequeña isla, sin embargo, gran parte de Nagashima queda oculta y parece lejana y misteriosa. Ahora, en cambio, ve perfectamente la costa oriental: los alojamientos, la oficina, el hospital, el acantilado, la pequeña zona que cubren los huertos. Lo único que no puede ver es el muelle de arribada, el edificio donde pasaron todos aquella primera y horrible semana, y el crematorio, porque están en el extremo noroeste de Nagashima, que se orienta hacia Honshu y el pueblo de Mushiage. Ve a unas cuantas personas a lo lejos, pero no cree que nadie la vea ella. No cree que nadie preste atención a aquel lugar.

Da la espalda a Nagashima y enfila un sendero lleno de maleza, de plantas parecidas a los helechos, malas hierbas y demás. Solo es un paseo de cinco minutos cuesta arriba, a unos veinticinco metros sobre el mar. Aunque el día es soleado, el bajo túnel de bambú, arces y cedros está oscuro y frío. Cerca de la cima, ve el pequeño altar, pero sus ojos se apartan rápidamente cuando ve a un hombre sentado en los tres últimos escalones de cemento que conducen a él.

—Señor Shirayama.

—Señorita Fuji. ¿Es la primera vez que viene aquí?

—Sí.

—Yo subo una vez por semana, o siempre que puedo hacer una escapada.

—No pensaba que viniera nadie aquí.

—Y no vienen. Es usted la primera con quien me encuentro.

Ella se da la vuelta para contemplar Nagashima, pero solo ve la maraña de árboles y maleza. Se vuelve entonces hacia el otro lado, pero la isla de Shodo es invisible, igual que Honshu, igual que el mar Interior.

—Maravilloso lugar, ¿no le parece?

—Sí.

—Por eso vengo. Es como un mundo completamente distinto. No se ve nada más, apenas se oye más que la propia respiración, quizá el graznido de una garza o de una gaviota. Cuando subí aquí por primera vez, hace un par de años, pensé en arrancar la maleza, pero luego comprendí que este lugar es especial porque no se ve nada. Siéntese.

Ella se sienta y se fija en el musgo que crece sobre el pequeño altar rojo, no mucho más alto que ella. El tejadillo de madera tiene también algo de musgo sobre el lado norte, y brotan briznas de hierbas de lo alto. Hay incluso una caja de madera para arrojar en ella el dinero de las ofrendas. Dentro hay un par de sucias monedas de un yen. No son las monedas negras y ovaladas de la isla, sino las del resto del país. Ella nota un vuelco en el estómago. No ha visto ni tocado ese dinero desde su llegada a Nagashima, cuando se lo quitaron junto con todo lo demás.

—No sé de quién es. Quizá de alguno de los que trabajan en la isla.

—Quizá —dice ella. Podría haber centenares de monedas, un millar, y serían tan útiles como las rocas de la playa. Las dos monedas sucias estaban allí, tan pequeñas como una uña, y eran un insulto para ella. El señor Shirayama lo sabe, pues también lo fueron para él la primera vez que las vio.

—¿Qué le parece si nos deshacemos de esto?

—¿De qué? —pregunta ella.

—De las monedas. Usted coge una y yo cogeré la otra, y las arrojamos lo más lejos que podamos.

Mira al hombre, tiene apenas cinco años más que ella, pero está tan deformado que cuesta imaginar cómo sería antes de padecer la enfermedad. Él la observa también, e intercambian una extraña mirada que oscila entre el acuerdo y el desacuerdo.

—¿Qué dirá Buda de nuestro robo? —pregunta ella finalmente, con una leve sonrisa. El señor Shirayama la examina, piensa que es muy hermosa, prácticamente sin huellas de la enfermedad. Si no supiera por qué está allí, no notaría nada malo en ella.

—Creo que Buda, o cualquier otro dios, lo comprendería. Las sustituiremos por una de nuestras monedas. Aquí tienen más valor. Entonces será más bien una contribución que un robo.

Ella coge una de las monedas viejas y se la entrega. Él la acepta y la lanza hacia los árboles. Su lanzamiento no es muy bueno, pero lo suficiente como para que se pierda de vista. Luego él le entrega la otra moneda. Ella la retiene un momento antes de metérsela en el bolsillo.

—Vamos, tírela. Se sentirá mejor.

—Quiero lanzarla al mar.

Los dos se echan a reír. Es agradable reírse. El señor Shirayama se siente a gusto compartiendo con ella aquel rincón.

—¿Cómo se llama esta isla? —pregunta ella.

—No sé si tiene nombre.

—Debería tener.

—Dejaré que sea usted quien se lo dé, señorita Fuji. Yo he elegido ya bastantes nombres. ¿Qué es eso que ha dibujado?

—Un mapa de esta isla. Me temo que no me ha salido muy bien.

—¿Puedo verlo? Me encantan los mapas.

—Claro.

Ella se levanta, da una vuelta completa y pregunta:

—¿Dónde está su carretilla?

—Era demasiado difícil subirla hasta aquí.

—No recuerdo haberle visto sin ella.

—Es agradable dejarla por un rato.

—¿Qué cultiva en su huerto, señor Shirayama?

—Sobre todo calabazas y judías, y algunos tomates.

—¿Le gusta?

—Me gusta el hecho de poder cuidar de algo, de hacer que algo crezca en este mundo. Más o menos lo mismo que hace usted, señorita Fuji.

—Yo no cultivo nada.

—Sí, lo sé. Pero cuando da masajes a un enfermo, le devuelve la vida a su cuerpo durante un rato. Al menos así lo sienten ellos. Es parecido al cultivo de un huerto.

—Supongo que sí.

Ella recupera el mapa, lo coloca sobre los escalones y pone otro trozo de papel encima. En él dibuja otro mapa de la isla y se lo ofrece al señor Shirayama.

—Gracias, señorita Fuji. Creo que es un buen mapa.

—Vamos, tenemos que volver antes de que el mar borre nuestro sendero.

ARTEFACTO NÚMERO 0214:
UN TOSCO MAPA AMARILLENTO DE LA PEQUEÑA ISLA, HECHO A MANO

Pone el dibujo de la isla sobre la pared de la habitación que comparte con otras seis pacientes. Le da la vuelta cuarenta y cinco grados cada pocos días, hasta que descubre su forma.

Durante muchos días reflexiona, hasta que por fin se decide por un nombre: «isla de la Mano».

Artefacto número 0230:
Copia del certificado de la orden de la cultura recibido por el doctor Kensuke Mitsuda —primer director de la leprosería de Nagashima— por su importante contribución a las artes y las ciencias. 3 de noviembre de 1951

Lleva un chaqué negro y está sentado en la primera fila del salón de recepciones junto a los otros cuatro galardonados. Cuando se pronuncia su nombre, doctor Mitsuda Kensuke, se levanta despacio, recalcando los movimientos, como si los hubiera ensayado muchas veces. Apenas puede doblar los pies embutidos en unos diminutos zapatos negros, y más que caminar se desliza. Cuando llega delante del emperador Hirohito, extiende los brazos absolutamente en paralelo y recibe la medalla en un estuche forrado de terciopelo púrpura, con la tapa abierta con forro de hilo. El doctor Kensuke inclina su cuerpo de setenta y cinco años en una profunda reverencia y se queda así con los brazos extendidos aún y la medalla en las manos. Luego se incorpora y retrocede, deslizando hacia atrás, uno, dos y tres pasos, sin dar nunca la espalda al emperador.

ARTEFACTO NÚMERO 0229:
UN FRASCO DE ACEITE DE CHAULMOGRA

Ella no lo recuerda, pues no estaba allí. El espeso aceite de Chaulmogra extraído del fruto de los árboles Hydnocarpus recorría las venas de los enfermos. Era tan espeso que lo notaban. En algunas venas, sobre todo las del antebrazo, se veía cómo se movía, como una lombriz. Los enfermos soportaban el dolor, pues pensaban que tal vez... tal vez... Algunas veces se frotaban la piel con él. Algunos tenían esperanza entonces, esperaban que cada lombriz que se arrastraba por el interior de sus venas se llevara la enfermedad con él, poco a poco. Pero se produjeron recaídas y la lombriz ya no les daba esperanza, tan solo dolor. Luego, seis meses después de que llegara la señorita Fuji, llegó también una nueva esperanza.

ARTEFACTO NÚMERO 0231:
UNA PIEDRA DE AFILAR

Todos los días, en sus cuerpos, ella ve, huele, toca su propio futuro. No sabe con seguridad cuándo llegará, solo que se acerca con cada día que pasa. Y gracias a los mapas de esos cuerpos, sabe cuánto tiempo lleva allí cada enfermo y cuánto tiempo le falta a ella para estar como ellos. A veces lo sabe con los ojos cerrados, pero otras tiene que abrirlos.

La piel:

Ve a enfermos trabajando laboriosamente con palas, azadas y carretillas, con el torso desnudo, huesudos y secos bajo el ardiente sol de julio. Varias mujeres con túnicas de rayas blancas y grises trabajan junto a ellos, y no cae una sola gota de sudor de sus negros y cortos cabellos. Ve al equipo de béisbol de Nagashima a medio partido, los jugadores tienen la piel tan seca como el carbón. Cuando da un masaje a un enfermo y aprieta demasiado fuerte la piel se rasga como la de una cebolla, dejando grandes huecos. Recuerda su piel seca y basta durante la temporada de buceo, las yemas de los dedos que se agrietaban a causa del agua fría y el aire caliente, y las punzadas de dolor cuando lavaba el arroz para cocinarlo. Muchos enfermos no se mueven cuando les aplica los vendajes, ni siquiera se dan la vuelta. Su piel no tiene vello, es reluciente como una piedra pulida.

Las manos:

Dedos tan cortos como los de los pies, muñones, en muchos casos con lesiones autoinfligidas. Un hombre perdió uno cuando se le quedó enganchado en una red de pesca que lanzaba al mar, y se quedó mirando el hueco donde segundos antes había habido un dedo. Una mujer que hacía ropa nueva para los enfermos se cortó las puntas de dos dedos con las tijeras. Se le gangrenó la mano izquierda y se le hinchó hasta adquirir el doble de su tamaño antes de que fuera a la clínica y se la amputaran.

Casi siempre que toca esas manos, le enfurecen esas negligencias, las detesta, porque si hubieran prestado más atención, seguramente no habría ocurrido nada. Sabe que solo tiene que pensar en la herida que se hizo buceando, en que no sintió dolor, en que no se habría dado cuenta de nada de no ser por la sangre. Sin embargo, en ocasiones, cuando masajea unas manos —aunque cada vez son menos— siente una gran irritación. Distingue perfectamente cuándo los enfermos se han autolesionado y qué manos han sufrido daños en los nervios a causa de la enfermedad. Las lesiones autoinfligidas son más aleatorias, un dedo o dos, algún trozo; los daños en los nervios son más uniformes, provocan una destrucción equilibrada.

Los pies:

Una mujer caminaba descalza y se cortó con un trozo de cristal, y estuvo a punto de morir desangrada porque no se dio cuenta de la herida. Las botas ortopédicas, diseñadas y fabricadas por los enfermos en los talleres de carpintería, les ayudan a andar. También los pies y las piernas artificiales, desde la rodilla. A veces les quita esas extremidades ortopédicas para darles los masajes y las deja junto al futón, o las apoya en la pared. A los que aún tienen pies, la planta se va reduciendo hacia el empeine, los dedos están arrugados, aplastados. Usan botas ortopédicas para no hacerse daño en los pies al caminar. Lo de los pies, lo perdona más rápidamente, pues a menudo están fuera de la vista y es más fácil autolesionarse, más comprensible, pero con las manos no.

Los ojos:

Un joven lleva ya unas gafas azules que le ayudan a proteger los nervios de los ojos. ¿Son azules incluso las flores de los ciruelos?, se pregunta. A veces, mientras da los masajes, habla con los enfermos, y estos se quedan dormidos, pero ella sigue hablando durante un rato sin darse cuenta, pues los ojos con los nervios dañados no se cierran nunca del todo. No tienen cejas ni pestañas que los protejan; la frente protuberante les da esa apariencia leonina sobre la que ha leído en los libros que hay en la estantería de la clínica.

La boca:

Los enfermos en los estadios más avanzados de la enfermedad tienen que recurrir sobre todo a su memoria, al recuerdo del sabor de una pera, de la quemazón al beber demasiado deprisa el té de arroz integral recién hecho, de la textura de un ñame silvestre. Y ella siente deseos de limpiarles la saliva que cuelga de sus bocas insensibles.

La nariz:

Aplastadas, retorcidas, a veces inexistentes, pues ha desaparecido la membrana y no hay nada que la sostenga. A los enfermos más graves, les pone una pomada de mentol bajo la nariz antes del masaje. El hedor insoportable de la mucosa acumulada en la nariz, el olor a carne pútrida es algo a lo que no se ha acostumbrado, a pesar del tiempo transcurrido y los muchos masajes que ha dado. Siempre tiene una toalla bajo la cara para la mucosidad que les cae cuando les masajea la espalda.

Y cuando regresa a su habitación, no se permite a sí misma sentir compasión por ellos. No puede, porque entonces acabaría adueñándose de ella la autocompasión, y sabe que eso sería también un síntoma de negligencia.

Su futuro está en algún lugar de esa isla, en todas partes, acechando en cada paciente que ella ve sin que éste la vea, en cada enfermo que ella toca y que no siente sus manos, en los enfermos que son tal como ella acabará siendo con el tiempo. La espera es más difícil que la realidad.

Pero su futuro no llega. En su sexto mes en Nagashima, empieza a recibir las inyecciones y a tomar sus dosis de Promin. El único futuro que puede esperar de ello está lleno de náuseas, vómitos, dolores de cabeza, pérdida de apetito y la cabeza y los brazos cubiertos para evitar el sol. Incluso este futuro es impredecible, pues a veces sufre todos estos efectos secundarios después de tomar la medicina, a veces ninguno, y a veces, una mezcla. En esto tiene suerte, porque otros padecen urticarias, problemas circulatorios y la piel se les pone azul.

Pasan más y más meses, y ya puede contarlos por años. Sin embargo, sigue teniendo las dos manchas insensibles en el cuerpo: la del antebrazo izquierdo y la de las nalgas. No sabe muy bien si llevarlas como medallas o como una maldición. Lo único que le sirve para seguir adelante es saber que no está sola, que la acompañan todos los demás que llegaron el mismo año que ella y en los años posteriores, y que están como ella: viviendo allí una normalidad exterior en medio de un tormento interno.

Ha estado esperando treinta minutos y aún falta una hora más para que llegue a donde las enfermeras afilan las agujas en la piedra de amolar. Si hubiera sido invierno o pleno verano, se habría quedado en la habitación, esperando a que la fila menguara, pero le gusta la niebla. Le recuerda cuando estaba bajo el agua y el mar solo le desvelaba una pequeña parte de sí misma. Incluso el sonido se resiste a revelarse completamente: de dónde viene, desde qué distancia.

Sabe que es demasiado temprano, pero, para pasar el rato, empieza a examinar a los enfermos, a comprobar cuáles se apoyan en la pierna izquierda. Esta mañana solo ve a quince enfermos delante de ella, a causa de la niebla. Todos dan un par de pasos al transcurrir un minuto. Son esos pasos y las paradas y el hecho de estar de pie lo que hace que le duela la pierna derecha infectada. La idea de otra aguja en esa pierna es insufrible. Siente el pus manando a través de la gasa antiséptica, recordándole que debe pasar por la escuela antes de iniciar su ronda de masajes y baños.

La infección del muslo, los escalofríos y la posición incómoda, le han hecho pasar otra mala noche. Le gusta dormir sobre el costado derecho, aferrada a la almohada, pero el dolor del muslo la obliga a dormir de espaldas. Es la segunda infección que ha tenido en seis meses, pero esta la soporta, recordando la primera, cuando la enfermera le abrió el área infectada sin usar anestesia. Se la unta de crema cada noche y la envuelve con la misma gasa.

Los árboles se han desnudado prácticamente de niebla cuando llega a la entrada del edificio. Detrás de ella hay otros quinientos o seiscientos enfermos. Ha divisado a una mujer que se apoya más en la pierna izquierda y no la pierde de vista hasta que entran en el edificio. Abandona entonces la fila, comprueba dónde están las enfermeras, se acerca a la mujer y le pregunta si quiere cambiar el sitio con ella. Lo hacen y espera entonces en la fila más a la izquierda de las cuatro.

El aire es sofocante, impregnado del olor familiar a medicina. Cuatro enfermeras, una para cada fila, dos enfermos por minuto para cada una. Afilan las agujas en la piedra de amolar, las clavan en el frasco de Promin, insertan las agujas en los muslos de los enfermos, las extraen, los enfermos se van; afilan las agujas en la piedra de amolar, las clavan en el frasco de Promin, insertan las agujas en los muslos de los enfermos, las extraen, los enfermos se van; afilan las agujas en la piedra de amolar. Esta repetición está a punto de hacer que se duerma, pero sigue avanzando paso a paso, y cuando le llega el turno, se baja el lado izquierdo de los sueltos pantalones de algodón, oye la aguja que rasca la piedra, ve cómo se sumerge en el frasco de Promin, nota la aguja cuando se la clavan y luego la extraen, y se va.

Poca niebla queda cuando sale al exterior. Una vez más, todo es visible menos la cima de la isla de la Mano. Se encamina hacia la escuela para hacerse con gasas limpias y sabe que, durante un par de días más, su futuro quedará congelado, al tiempo que otro día está a punto de pasar de largo.

Antes de entrar en el edificio de la escuela, se sale del camino y, entre unos arbustos, se quita el vendaje de la pierna derecha. Está empapado y pegajoso a causa del pus y de un poco de sangre. Sabe que sin vendaje, el pus le manchará los pantalones, pero busca intimidad, no solo por la necesidad de estar sola cuando la infección queda al descubierto, sino por la necesidad de estar a solas con su dolor. El vendaje está más y más pegado al muslo con cada vuelta que da. Tiene ganas de gritar, de llorar, pero se concentra en un pájaro que ha visto en un árbol para armarse de valor. Cuando por fin se ha quitado todo el vendaje, deja que su cuerpo se relaje un momento. Siente sudores fríos, tiene ganas de sentarse. El día ha comenzado apenas, se dice, demasiado temprano para pensar en descansar. Haciendo un esfuerzo, se dirige a la escuela.

La mayoría está sentada en el suelo del aula, estirando y alisando la gasa antiséptica, cuando ella entra. Están allí todas las mañanas, muy temprano, para ser la primera clase en graduarse en el Instituto de Nagashima, y se quedan a comer y luego tres horas más de clase. Trabajan con esmero, con la atención necesaria para arreglar las gasas rasgadas, lo que supone la diferencia entre cortarlas en dos, perdiendo un palmo o dos de material, o conseguir extraer de ellas un nuevo día de existencia.

A ella no le gusta entrar allí. Se siente incómoda entre la gente educada, ya que ella había ido solo siete años a la escuela antes de empezar a bucear a los dieciséis. Había llegado a Nagashima antes de que empezaran a funcionar las clases, hace solo un año. Y aunque solo tiene cinco o seis años más que los estudiantes, se siente mucho más vieja.

Intentando no llamar la atención, se encamina directamente al rincón donde se apilan las gasas y vendas lavadas. Pero él la ve, lo sabe antes incluso de oír su voz, como si estuviera esperándola.

—Buenos días, señorita Fuji.

—Buenos días, señor Yamai —dice ella sin detenerse, esperando que su conversación se limite a los saludos.

—No la he visto hoy en las inyecciones.

—He llegado un poco tarde.

—Su pierna no ha mejorado —dice él, señalando la venda que lleva en la mano. Ella habría querido tirarla lejos, pero la deja en el saco de la ropa sucia que el señor Yamai se encarga de recoger. Ella coge una venda nueva e intenta marcharse sin darse demasiada prisa. El señor Yamai la sigue con el saco de la ropa sucia al hombro. Cuando la alcanza, le tiende furtivamente otra venda y ella le da las gracias apresuradamente y se la mete en el bolsillo izquierdo de la chaqueta.

—Espero verla el domingo por la noche, señorita Fuji.

—No lo creo, quizá cuando tenga mejor la pierna.

—La señorita Min nos contará una historia esta semana, y este mes vamos a leer a Natsume Soseki.* Sería un buen momento para venir.

—No puedo prometérselo, pero quizá vaya si tengo mejor la pierna.

—Me han dicho que va a contar una historia esta semana, señorita Min.

—Sí, esta semana me toca a mí. ¿Se lo ha dicho el señor Yamai?

—Sí, ¿cómo lo sabe?

—Porque él quiere que usted venga una noche.

—Ya le he dicho lo que pienso de asistir a ese tipo de cosas.

—Solo se cuentan historias y se leen libros. Se hace sobre todo por los que no vemos lo suficiente para leer. El señor Yamai es un joven muy agradable. Tiene más o menos su edad, ¿no?

—Parece usted una madre intentando casar a la hija, señorita Min.

—Una vida es demasiado larga para pasarla sola.

Aunque la pierna no le ha mejorado mucho, asiste a la reunión el domingo por la noche. Le sorprende ver la cantidad de enfermos que se ha congregado. Encuentra un cojín en el fondo de la amplia sala y se sienta. Al poco rato, el señor Ya-

* Novelista japonés (1867-1916). *(N. de la T.)*

mai se coloca frente a los reunidos y todas las voces se acallan inmediatamente. Parece un hombre de estudios, quizá por las gafas redondas de montura negra, o por ser maestro en la escuela de Nagashima.

—Me alegro de que hayan podido venir todos esta noche, y me gustaría dar la bienvenida a los que vienen por primera vez. —Mira hacia donde está ella y se interrumpe un segundo—. Esta noche leeremos varios relatos de Natsume Soseki. Si alguno de los presentes quiere sugerir posibles libros para el futuro, díganmelo, por favor. Antes de leer el libro de esta noche, la señorita Min nos contará un par de historias.

El señor Yamai deja de hablar y la sala se llena de aplausos. Busca a la señorita Min, pero no la ve al principio, hasta que un paciente que está a su lado se la señala. Está a la derecha del señor Yamai. La señorita Min está sentada en una silla con una tímida sonrisa en medio de los aplausos. Ella piensa en todos los masajes que le ha dado y en las historias que le contaba.

—Para los que no han venido nunca, diré que esta es la séptima vez que la señorita Min nos cuenta historias. Muy bien, señorita Min.

Una vez más se oyen aplausos, la señorita Min se levanta, hace una reverencia, vuelve a sentarse y se hace el silencio:

«El *prau** lo hacen tallando un único cedro gigante de una longitud similar a la de cuatro hombres de la aldea. Los aldeanos trabajan desde el alba, cuando la joven empezó a tener fiebre, y continúan durante todo el día.

* Embarcación ligera de vela con la proa y la popa curvadas hacia arriba. (*N. de la T.*)

»Lo mismo se hizo cinco años antes, cuando la piel de un hombre se cubrió de ampollas. El prau funcionó bien entonces, porque solo murió el hombre y la aldea se salvó. Y seis años antes de eso, cuando una joven regresó de la jungla enloquecida, con espuma en la boca, también empezaron a hacer un prau, pero lo dejaron cuando la madre encontró las señales de la mordedura de una víbora en el hombro izquierdo de su hija. Los demonios no les habían enviado una enfermedad; era solo uno de los sucesos normales de la naturaleza. Pero con aquella chica febril sabían que debían hacer el prau y enviarlo lo antes posible.

»Mientras las mujeres hacen la imagen del hombre con cáscaras, corteza de árbol y hojas de palma, los hombres vacían el interior del árbol. Los niños dan la comida a los trabajadores, que tienen las manos demasiado ocupadas para parar. Solo apartan la cabeza un instante para dejar que les echen agua por el gaznate desde lo alto. El más anciano de la aldea se acerca a la playa.

»—Le está subiendo la fiebre —dice.

»Luego da media vuelta y regresa a la choza donde la joven arde de fiebre. Las manos moldean la figura del hombre más deprisa, los machetes hacen volar el contenido del árbol, desparramándolo por la arena, los niños les dan a comer pedazos de fruta y agua.

»Solo cuando la luna menguante se encuentra a mitad de camino sobre la bóveda de la isla, reaparece el anciano.

»—Los demonios se la han llevado.

»Los trabajadores se detienen para rezar por la chica. Las fogatas que han encendido los niños iluminan a los aldeanos que dan los últimos toques al prau.

»Esperan a que baje la marea y luego botan la barca, corriendo junto a ella, empujándola hasta que el agua les llega al cuello. Varias barcas van detrás del prau para empujarla mar adentro, asegurándose de que no vuelve a la isla de Buru. En la playa, los aldeanos entonan un cántico: "¡Oh, enfermedad, vete de aquí, da media vuelta! ¿Qué quieres de estas pobres tierras?".

»Al cabo de tres días, regresarán a la playa para matar un cerdo y ofrecer parte de la carne a Dudilaa, que vive en el sol, y el anciano de la aldea recitará una plegaria: "Anciano señor, te ruego que des salud a nietos, hijos, mujeres y hombres, para que podamos comer cerdo y arroz y beber vino de palma. Mantendré mi promesa. Come tu parte y da salud a toda la gente de esta aldea".

»Pero aquella noche, tras el largo día de trabajo, los aldeanos no se quedarán tranquilos cuando pierdan de vista el prau. Volverán a la aldea y prepararán el entierro de la chica que los demonios les han arrebatado.»

La señorita Min se interrumpe y bebe un sorbo de agua que le ofrece el señor Yamai. Luego se yergue en la silla e inicia la segunda historia:

«Despierto antes de la llamada a la oración, el chico desnudo contempla el prau que ha llegado a la playa durante la noche. La figura del hombre está mojada e irreconocible, pero sigue intacta. El viaje de dos meses ha dejado la vela hecha jirones, el ancla yace junto al prau volcado, y los remos se perdieron en algún lugar del mar Seram. El chico toca las algas enredadas en el muñeco.

»Empieza a alborear hacia el este de Manipa. Es entonces cuando los gritos del anciano de la aldea arrancan a todos los aldeanos de su sueño. No es como la llamada a la oración; son unos chillidos inquietantes que surgen de muy adentro. Los aldeanos saben, antes incluso de salir de sus chozas de paja, que aquellos gritos lo cambiarán todo durante mucho tiempo, quizá para el resto de su vida.

»El anciano de la aldea aleja al chico a rastras del prau cuando los otros llegan a la playa. Ahora hay luz suficiente para ver el perfil del prau, para saber qué ha ocurrido y qué debe hacerse. Sea cual sea la enfermedad que se ha expulsado de una de las islas circundantes, habrá llegado en ese prau y quizá se esté extendiendo ya entre los aldeanos que duermen.

»Nadie se acerca al muchacho. Ni siquiera sus padres, ni la hermana, a la que mantienen apartada de él. Antes de que el sol matinal bese las aguas del mar, los aldeanos prenden fuego al prau. Grandes chispas salen disparadas hacia el cielo. Los aldeanos se mantienen alejados, pero mirando, esperando que las llamas ahuyenten a los demonios, los expulsen de la aldea, de la isla.

»Más tarde, el anciano de la aldea interroga al chico a solas.

»—¿Cuándo has visto el prau por primera vez?

»—Cuando aún brillaba el lucero del alba.

»—¿Te sientes enfermo? —El anciano palpa al chico, la cabeza, el cuello.

»—Me encuentro bien. Tengo un poco de hambre.

»El anciano mira al chico a los ojos y pregunta:

»—¿Has tocado algo del prau?

»—Solo el muñeco.

»—Esta noche y durante muchas más, tú y yo tendremos que dormir fuera de la aldea.

»Y esa noche, mientras la marea barre algunos restos quemados del prau, los aldeanos intentan dormir. Pero una vez más, el anciano los despierta de su sueño intranquilo. No son los gritos llenos de terror de la mañana lo que los despierta. Es el anciano de la aldea, que duerme con el chico lejos de la playa, junto a la jungla; es su tos seca, que él intenta sofocar contra la estera sobre la que duerme, lo que los mantiene despiertos esa noche.»

Artefacto número 0487:
Un tubo de crema para quemaduras

No está segura de por qué, pero sabe de antemano que lo hará. Tal vez para llamar la atención, pero esa respuesta le parece demasiado obvia. Para comprender mejor a los enfermos, quizá, pero eso le parece demasiado noble. Está en su turno de guardia nocturna de dos horas, y es la única que permanece despierta en esa ala del edificio. Sabe que en todas las habitaciones de Nagashima hay al menos un enfermo despierto a esa hora —más cerca del alba que del crepúsculo—, con un palo o un tubo en la mano. Una vela arde sobre el alféizar de la ventana; ella la contempla. Ha tenido un mal día, los masajes, la humedad, la nostalgia del mar; entrado ya el mes de junio, el agua ha empezado a calentarse para la temporada de buceo.

Por la noche, todas las habitaciones están alfombradas con futones. Seis en su habitación, siete enfermos. No hay suficientes futones para todos, tampoco hay suficiente suelo. Dos puntos verdes reflejados en la luz de la vela la sacan bruscamente de su ensimismamiento. Se acerca sigilosamente a cuatro patas hacia esos ojos brillantes y redondos. No está en ninguno de los futones, sino en la entrada, de modo que, si obra correctamente, no despertará a ninguno de los enfermos. Está a un metro más o menos, conteniendo la respiración, fijándose en qué dirección arroja su sombra la luz de la vela, con un trozo de cartón al lado. Se recuerda a sí misma que ha de apuntar detrás de los ojos, lo hace, y cuando el largo palo desciende sabe que al menos ha dejado inconsciente a la rata, si no es que la ha matado ya. Vuelve a golpearla, le da con el palo para comprobar si está viva y, al ver que no se mueve, la empuja hacia el cartón con el palo y lleva la caja fuera. En la caja de madera hay dos ratas más. Deja caer la tercera junto con el cartón en la caja, para que se queme todo a la mañana siguiente.

Su turno está a punto de terminar cuando entra de nuevo, pero aunque la sustituya uno de sus compañeros de habitación, sabe que no dormirá mucho. No es por miedo a las ratas, sino porque tiene aguzados los sentidos después de haber matado a la última. Sabe que lo que le ha ocurrido a algunos enfermos no le ocurrirá a ella o que, en todo caso, no iría demasiado lejos. Solo se han dado dos casos de rabia desde que ella está allí, y sabe que en cuanto notara la mordedura, se despertaría inmediatamente y ahuyentaría a la rata. No es la rabia lo que les ha obligado a iniciar los turnos de vigilancia, sino los otros enfermos, los que habían llegado a Nagashima antes que ella, cuando no se tomaba el Promin, aquellos que han perdido la sensibilidad en las extremidades. Es a ellos a quienes protegen con la vigilancia nocturna.

Los turnos de guardia empezaron poco después de que ella llegara, cuando una rata se había comido dos dedos de la mano izquierda de la señorita Furato, que dormía dos edificios más allá. Esto había ocurrido después incluso del invierno en que habían empezado a coser piedras en las esquinas de las mantas de los enfermos más graves, para darles más peso y evitar que las manos y los pies se quedaran al aire mientras dormían, no tanto para protegerlos de las ratas como de las temperaturas bajo cero. El frío invernal traspasa los futones como un cuchillo y los convierte en un congelado queso de soja frío, muy frío. Si se queda quieta, el cuerpo se le calienta un poco, pero si se mueve un solo centímetro fuera de la huella de su cuerpo, encuentra un frío glacial que vuelve a dejarla congelada.

Por duros que sean los inviernos, ella detesta aún más el verano, cuando los futones se vuelven mohosos. No recuerda un solo día en Nagashima en que los futones fueran como es debido. No recuerda una sola vez en que, después de pasarse el día colgados al sol para secarse y de que los sacudieran con un palo para ahuecarlos, no se hundiera en el suyo por la noche y su cuerpo quedara a unos centímetros del suelo.

Además de los futones, las chinches son el principal problema en primavera, verano y otoño. Por supuesto hay también cucarachas y esas garrapatas microscópicas que invaden los futones y le dejan a uno mordeduras dolorosas por todo el cuerpo, que no paran de picar. Pero son los ciempiés los que a ella le causan más molestias. Son largos como un dedo y tienen unas pinzas que dejan una mordedura ponzoñosa, que a veces se hincha hasta alcanzar el tamaño de una mandarina. Y en sus guardias nocturnas no deja de vigilar por si aparecen, además de las ratas, con un palo de un metro al que ha afilado la punta para traspasar con ella a los centípedos. Son difíciles de matar; tiene que cortarlos en tres trozos.

Ha llegado la hora de despertar a la señorita Kato para que la reemplace. Alarga la mano, coge la vela del alféizar de la ventana, la inclina y deja que la cera caliente le caiga sobre la mancha del antebrazo sin salirse de los bordes de la mancha insensible. La cera se endurece y ella la quita con cuidado para no romper la fina reproducción en cera de la mancha. Deja este molde sobre el alféizar y se inclina sobre la vela, colocando esta vez el antebrazo sobre la llama, jugando con ella, haciendo que se alargue hacia su brazo. Deja que la llama le toque la mancha, huele la piel quemada, se pregunta cuánto tiempo podrá seguir así hasta sentir algo, hasta dónde llegará su insensibilidad, si podría quemarse el brazo, traspasándolo de un lado a otro sin sentir nada.

No es dolor, sino el hedor a carne quemada, lo que hace que aparte el brazo. Su antebrazo está horrible, con el color del interior de un higo seco. Coloca la vela de nuevo sobre el alféizar junto al fósil de cera de su mancha, luego se acerca a la señorita Kato y la despierta.

Artefacto número 0400:

Un mapa del pueblo de Mushiage

Ha pasado ya cuatro inviernos en Nagashima y está en su cuarto verano allí, cuando llega la primera de las dos únicas visitas que va a tener. No se parece mucho a la mujer joven que está sentada delante de ella. Si uno las observa de cerca, encontrará algo en el trazo de la boca, con su labio superior algo prominente, que sugiere un parentesco. Nada más.

La hermana mayor habla en una voz baja pero aguda. Tal vez inhibida por su nerviosismo, o quizá porque su voz es así. La señorita Fuji sabe que es la última vez en la vida que verá a su hermana.

—Me has arruinado la vida. Mereces estar aquí con todos estos monstruos.

—Aquí no hay monstruos, solo personas enfermas.

—Monstruos enfermos.

—¿Cómo están madre y padre?

—Ya no son nada tuyo. Ninguno de nosotros. ¿Cómo has podido hacernos esto?

—¿Haceros qué?

—Humillarnos. La gente no nos habla. Allá donde voy, la gente cuchichea, me señala. Puede que padre y madre tengan que irse a vivir a otro sitio. No nos pagan ni la mitad del precio normal por nuestro arroz. Nuestras tierras han perdido valor. Como si estuvieran infectadas.

—Lo siento, pero yo no quería esta enfermedad. Nunca pedí tenerla.

—Tampoco nosotros. Es como si también la tuviéramos. Se suponía que iba a casarme con Yukihiro el año pasado, pero su familia lo ha anulado. Por tu culpa. Y lo empeoraste todo cuando te escondiste. Así se enteró todo el mundo, toda la isla. La policía vino a registrar nuestra casa y a buscar en los campos. Vino muchas veces.

—¿Y si hubiera vuelto aquel día? ¿Qué habríais hecho?

—Al menos habríamos podido enviarte aquí en secreto y a los vecinos les habríamos dicho que te habías ido a vivir a Tokio, o que habías muerto, o algo así.

Se miraron la una a la otra fugazmente.

—Eso es lo que dijo padre. —Otra mirada furtiva—. Y yo estoy de acuerdo con él. Mejor un muerto solo que toda la familia.

—Bueno, ya es como si estuviera muerta. No volveréis a saber de mí.

—Demasiado tarde para eso. No volveré a venir nunca más. Me han obligado a bañarme en desinfectante antes de entrar y tengo que llevar este traje, como si la enferma fuera yo. Les he dado tu nombre y me han pedido que te describiera. Me han preguntado de dónde eres, de dónde procedías. Como si no me hubieras humillado bastante, encima me hacen pasar por todo esto.

Estas serán las últimas palabras que intercambiarán las hermanas en toda su vida. La hermana mayor se levanta, abandona la habitación y vuelve a pasar por el baño desinfectante antes de subirse a la barca que la llevará a tierra; desde allí cogerá otra barca para recorrer siete millas hasta la isla de Shodo.

Aquella noche, después de la visita de su hermana, lo hace por primera vez. La primera excursión a la isla de la Mano dos otoños atrás le ha dado valor para expandir al máximo posible el perímetro de Nagashima. Es agosto. El agua ha alcanzado la temperatura más alta del año. Es tarde cuando llega al borde del muelle; su muelle. Está oscuro, e incluso el perfil de la isla de la Mano resulta difícil de distinguir, aunque solo está a cuatrocientos metros de distancia. Ella mira hacia donde sabe que está el islote, y acaba encontrándolo. Pero cuando aparta la vista y luego intenta volver a localizarlo, tiene que buscarlo otra vez. Hace rato que la luna ha seguido al sol en su periplo hacia el resto de Asia.

Se quita las sandalias y, sin pensárselo dos veces, se zambulle en el agua. Apenas deja un leve chapoteo o una onda en la superficie. Al cabo de medio segundo no hay el menor rastro. Recorre un tercio del camino buceando. Al fin y al cabo no está tan lejos, pues la otra orilla no se encuentra a más de cien metros en su parte más alejada; hay otros lugares a menos de esa distancia. Hace unos años, habría podido ir de un lado a otro buceando sin salir a respirar.

Pero sus pulmones han perdido gran parte de su fuerza y tiene que salir dos veces, no tanto por la enfermedad como por la falta de práctica. Intenta calcular cuándo llegará a la orilla por el sonido de los criaderos de vieiras, que tintinean en el agua, pero no calcula bien y se rasca el pecho y el estómago contra el fondo. Está en la otra orilla. La orilla de Honshu. El pueblo de Mushiage.

Camina por la playa pedregosa, se sienta en el borde de un embarcadero de madera. Tiene que recobrar el aliento, no solo por haber buceado, sino por la emoción que siente al darse cuenta de dónde está. La otra orilla. Qué fácil ha sido. Al saber que podría huir, se siente abrumada. Podría correr todo lo que le dieran de sí las piernas. Tiene unas cinco horas antes del amanecer. ¿Cuánto camino recorrería en cinco horas? ¿Veinte, veinticinco kilómetros? Hace un rápido cálculo y luego se ríe de sí misma. ¿Adónde huiría? ¿A quién buscaría? No tiene más ropas que la delgada bata de algodón que lleva puesta, va descalza, porque las sandalias se han quedado en el muelle, no tiene dinero. No tiene la más mínima posibilidad. Igual que los pocos que lo han intentado antes. Hace tres años, un enfermo se ahogó en aquel mismo canal, a unos cuantos más los cogieron, y tras pasar un largo período en el pabellón de aislamiento, les hicieron desfilar delante de los demás enfermos, grabando en su mente con las burlas punzantes el recuerdo de que no debían volver a intentarlo.

No tarda mucho en secarse. En agosto, incluso pasada la medianoche, el calor la seca enseguida. En la otra orilla, solo hay oscuridad; ni rastro de Nagashima. Allí todo el mundo duerme profundamente. Aquí aún falta una hora o dos para que los pescadores despierten. Está sola. Nadie en el país sabe dónde está. Esta idea la lleva del éxtasis a la inquietud. Es la mayor sensación de libertad que ha tenido desde su época de buceadora, hace una eternidad.

El embarcadero gime y cruje cuando se dirige a tierra. Nota el escozor en el estómago y el pecho, donde se ha arañado con el fondo rocoso de la orilla.

El pueblo es pequeño, lo nota incluso en la oscuridad, aunque solo haya andado un par de minutos. Nota el duro suelo de cemento bajo los pies descalzos. No es diferente de otros pueblos de pescadores en los que ha estado. Recorre la calle principal. A su derecha oye el suave batir de unas olas diminutas. Pasa por delante de una tienda de fideos, un merca-

do de marisco, según deduce por el olor; un par de pequeños comercios y unas cuantas casas. Todo está silencioso, al
alcance del oído y el olfato desde la ensenada. Reina la calma. Calle arriba hay dos autobuses aparcados. «Estación de
Autobuses de Mushiage», reza un letrero. Repasa el breve horario: un autobús cada hora y cuarenta y cinco minutos. Uno
a la estación de Oku y otro a Hamanaka.

Se dirige al puerto, donde ve docenas de barcos de pesca
que el agua empuja suavemente, bailando todos a ritmos distintos. También hay barcas pequeñas para dos o tres personas.
La blancura de su piel resalta en la noche. En una de las barcas un hombre parece que acaba de despertarse. A diez metros de ella, una lámpara de queroseno revela el perfil de sus
cabellos en punta. El hombre la mira. Ella no está segura de
que pueda verla, pero está mirando en su dirección. Se queda
inmóvil. Cuando el viento mueve la llama de la lámpara, comprende que no debería estar allí. Echa a correr para alejarse
del hombre, de su barca, de su lámpara y su pelo en punta.
Cuando llega a la calle principal, tiene que detenerse y pensar hacia dónde debe girar. Sigue hacia la izquierda y calle
abajo, pasando por las casas, el mercado y la tienda de fideos,
lo sabe, aunque no ve nada. Llega al pequeño embarcadero; no
sabe a qué distancia se encuentra del hombre, si a cien metros
o solo uno. No puede estar muy lejos. Sin prestar atención a
los crujidos que provoca en la madera del embarcadero, llega
hasta el final, se lanza suavemente a las cálidas aguas, se sumerge y pone rumbo hacia Nagashima.

Él, como ocurre con la mayoría de enfermos, tuvo su último momento de libertad en aquella orilla de Mushiage, en aquel mismo embarcadero, no más lejos de donde ahora está sentada ella en medio de la noche, desde donde salía el transbordador para llevarlos al otro lado del canal. El mismo embarcadero en el que se encontró con dieciséis años el día que llegó a Mushiage. El embarcadero donde un funcionario de la leprosería señaló las huellas de sus pies para impedir a otros que pisaran por donde él había pisado.

Ella ha aprendido a no preguntarle al señor Shirayama por su vida antes de llegar a la leprosería, porque, si bien habla abiertamente y con todo detalle sobre los años pasados en Nagashima, se muestra muy reservado sobre su vida anterior. Es como si hubiera arrojado agua sobre el montículo salado de su memoria, dejando que se disolviera grano a grano. En una ocasión, le preguntó por su verdadero nombre, y al ver que no respondía, pensó que no la había oído, así que repitió la pregunta y él la fulminó con la mirada y no contestó nada. No dejó de mirarla hasta que ella se dio la vuelta.

Pero, al cabo de más de cinco años de conocerse, el señor Shirayama le ha dicho algunas cosas, o se le han escapado. Fue en 1939, ocho años después de que se inauguraran las instalaciones, nueve años antes de que ella llegara allí, cuando el señor Shirayama viajó cerca de ciento sesenta kilómetros en un tren de mercancías, y luego recorrió a pie los veinte kilómetros restantes. Era primavera, y la mayor parte del camino bajaba suavemente en pendiente hacia la costa, donde cogió el transbordador para recorrer los últimos cinco minutos que lo separaban de Nagashima.

Al contrario que ella, no se ocultó de la policía. Sus padres lo entregaron. Esto es todo lo que le ha contado de su vida con sus padres: que lo dejaron en la comisaría y se fueron sin volver la vista atrás. Sin embargo, aún hoy, lo que recuerda es la pesada carga que él echó sobre sus hombros. Había deshonrado a la familia, a sus vecinos, a su pueblo. Era un chico de dieciséis años que había despertado un miedo inenarrable en los demás, que se había convertido en una carga para los sueños expansionistas del país y para las guerras que formaban parte de esos sueños.

Carga. Esa única palabra le hacía más daño que la enfermedad. Carga; como esos pequeños ácaros que abundan en los tatamis, en los futones, como esa astilla que se te clava en el dedo, algo con lo que puedes seguir viviendo, pero que recuerdas prácticamente con cada movimiento. Todas las personas que te rodean te recuerdan constantemente que vivirían mucho mejor sin ti. Con sutileza a veces, otras no tanto. Con suspiros. Con miradas. Apartando a sus hijos a toda prisa cuando pasas cerca de ellos. Con susurros. Señalando. Una vez le dijo que era, que seguía siendo, como ese ácaro en el tatami, como esa astilla clavada en el dedo.

Estos son los breves retazos de su vida antes de Nagashima que ella conoce, y desearía que le contara más cosas. Pero también ella tiene sus secretos, cosas que nunca le ha contado a él ni a nadie. Que la orilla opuesta a Nagashima, por ejemplo, es suya todas las noches.

ARTEFACTO NÚMERO 0198:

UN PINCEL PARA CALIGRAFÍA

Durante todo el invierno, ella contempla su aliento mientras pinta.

Hombre, cuarenta y cinco. Chico, diecisiete. Mujer, treinta y cinco. Hombre, cincuenta y seis. Hombre, cuarenta y cuatro. Mujer, cincuenta.

A veces, pasan hasta diez minutos sin que él se dé cuenta de que está allí de pie. Ella no sabe muy bien si es porque está muy concentrado, o es por la vista, que casi ha perdido. Ve su rostro a unos centímetros de la superficie. A unos centímetros del fino pincel y las cerdas muy apretadas por la tinta negra, que ha dejado huellas minúsculas en sus gafas. No tiene mucha superficie sobre la que trabajar, porque la urna es más o menos del tamaño de un bote pequeño para las hojas de té verde, más pequeña que sus propias manos. No queda gran cosa después de quemar un cuerpo durante un par de horas, piensa ella. Por grande que sea la persona viva, todos quedan igual al convertirse en un montón de cenizas.

Contempla su aliento mientras pinta.

Chica, diecinueve. Hombre, treinta y nueve. Chico, dieciséis. Hombre, cincuenta y cinco. Hombre, cuarenta y tres. Hombre, cincuenta. Mujer, veintiocho.

Tarda unos treinta minutos en pintar cada urna. Una hora o dos, algunos días. Luego, durante una semana, no hay ninguna. Ella imagina que debió de trabajar sin parar en 1934, cuando el tifón Muroto asoló la zona. Se necesitaron más de ciento ochenta urnas a finales de aquel mes de septiembre. Enfermos. Personal. Los tifones tienen una belleza salvaje, no discriminan.

Su aliento mientras pinta.

Mujer, cuarenta y seis años. Hombre, cuarenta y dos. Hombre, cincuenta. Mujer, cincuenta y uno. Hombre, cincuenta y cinco. Hombre, cuarenta y uno. Hombre, cuarenta y siete. Mujer, cincuenta y nueve.

Un calentador de queroseno a sus pies. A veces se inclina y se calienta las manos. Las manos que, cuando ríe y aplaude, solo juntan la parte inferior de las palmas, sin que se involucren los muñones de los dedos. Retuerce las muñecas de lado a lado, de arriba abajo, delante del calentador. Sigue así durante un rato y luego su aliento aparece otra vez cuando se aparta del calentador y vuelve a la mesa.

Hombre, cincuenta y uno. Chica, dieciocho. Hombre, cuarenta y ocho. Hombre, cuarenta y dos. Mujer, cuarenta y uno.

Él fue uno de los primeros pacientes, allá por 1931, y empezó a pintar cuando, ese mismo año, murió el señor Nakahara, el pintor de urnas de Nagashima. Se aprieta las gruesas lentes contra el rostro deformado y entorna los ojos con intensidad para darse cuenta de que ella está allí.

—Mil doscientos cincuenta y uno.

Así es como saluda a la gente el señor Oyama, el pintor de urnas de Nagashima. Lo dice mientras recorre los jardines en su silla de ruedas, o cuando está en su habitación y entra alguien, o allí, en el cobertizo que hay junto al crematorio. Y durante el resto de este día saludará a todo el mundo con un «mil doscientos cincuenta y uno». A menos, claro está, que muera alguien, y entonces añadirá un número, pero solo después de pintar la urna.

Se da la vuelta de nuevo hacia la mesa. Hoy, como todos

los días de esta semana, el trabajo será lento. Tiene dos hileras de urnas, seis en una fila, cuatro en la otra, y las pintará una a una.

Hombre. Hombre. Hombre. Hombre. Hombre. Hombre. Mujer. Mujer. Mujer. Mujer.

Se prepara para la primavera, que empieza mañana, y dentro de dos meses, ella cumplirá veinticuatro años. La mitad de su urna ya está lista, él solo tendrá que esperar a su edad final para pintarla.

Artefacto número 1002:
Un par de botas de goma

Sus pies, casi blancos, con la piel como de medusa, suelta, cayéndose, dejando grandes trozos en carne viva.

—¿Cuándo va a pedirse unas botas de goma, señor Yamai?

—Sé que debería hacerlo, pero a los administradores no les gusta que pidamos cosas tan básicas. Además, no creo que les guste lo que hemos estado haciendo con las lecturas y los cuentos.

—Pero si solo son unas botas. Otros enfermos también las tienen.

—Son botas ortopédicas. Es como si castigaran a los que no hemos sufrido una progresión en la enfermedad.

—Vaya y pida las botas.

Pai Miu está enfermo. El Maestro fue a verlo y, cogiéndole la mano a través de la ventana, exclamó: «El destino lo está matando. ¡Que un hombre como él tenga semejante enfermedad! ¡Que un hombre como él tenga semejante enfermedad!».

> Siglo VI a.C., China, cuando Pai Miu, discípulo de
> Confucio, murió de lo que se cree que era lepra

1. Los que padecen de «ta feng» tienen las articulaciones rígidas, se les caen las cejas y la barba.

2. El viento se esparce por los músculos y entra en conflicto con el «wei chi» o fuerza defensiva. Al atascar los canales, la carne se vuelve nodular y se ulcera. Y debido a que esta fuerza defensiva se estanca, se produce entumecimiento.

3. Los humores vitales degeneran y se vuelven espesos, haciendo que el caballete de la nariz cambie de color y se pudra, y que la piel se ulcere. El viento y el frío penetran en los vasos sanguíneos y es imposible sacarlos. Esto se llama «li feng».

4. Para tratar el «li feng», se han de pinchar las partes hinchadas con una aguja afilada, dejando que salga el aire viciado hasta que se reduzca la hinchazón.

> *Nei Ching*, escrito por Huang Ti
> (antes de 600 a.C.)

- el ajo utilizado con mejorana cura la lepra;
- la mostaza con arcilla roja se utiliza contra la lepra;
- la ortiga en vino cura la lepra facial;
- el poso del vino se frota para combatir la lepra;

- hervir la raíz de escamonea en vinagre hasta que adquiera la consistencia de la miel, y frotarla luego para curar la lepra;
- la grasa de la marsopa hace desaparecer la lepra.

Antiguas medicinas tradicionales para la lepra

En la Edad Media, en Europa, los enfermos se metían en leproserías. La lepra se conocía como «la muerte en vida», y se celebraban funerales cuando una persona contraía la enfermedad certificando su muerte para la sociedad. Los enfermos de lepra tenían que andar por un lado especial del camino, dependiendo de la dirección en que soplara el viento; en algunas zonas se les exigía que llevaran un atuendo especial, que llevaran un letrero delator alrededor del cuello y que hicieran sonar una campanilla para anunciar que eran «leprosos», de los que la gente debía huir. Otras leyes discriminatorias de la Iglesia y el Estado exigían que se sentaran aparte en las iglesias, que utilizaran pilas de agua bendita distintas y, en algunos casos, en Bretaña tenían una «rendija para leprosos» en los muros de las iglesias para que el «leproso» viera la misa, pero no la «contaminara» con su presencia.

Leprosy in Theory and Practice, de los doctores
R. G. Cochrane y T. Frank Davey

La OMS —en el quinto Congreso Internacional de la Lepra, celebrado en La Habana, Cuba, en 1948— recomienda las sulfonas (Promin) como principal tratamiento para la lepra. Se acepta que siga siendo necesario un aislamiento temporal, pero solo en los casos contagiosos. El comité sugiere que el tratamiento ambulatorio y a domicilio puede aplicarse satisfactoriamente y con seguridad a la mayoría de pacientes. La lepra ha dejado de ser una enfermedad «especial», y se ha convertido simplemente en una enfermedad en la que se reconoce que es fundamental un diagnóstico precoz y un tratamiento.

Informes de la Organización Mundial de la Salud

Es necesario dictar leyes que obliguen a los enfermos de lepra a vivir en sanatorios, aunque sea en contra de su voluntad. La esterilización es un buen método para garantizar que la enfermedad no se transmitirá entre miembros de una misma familia. La fuga de un sanatorio debería convertirse en delito para los enfermos, y como tal debería ser castigado.

Testificación del doctor Kensuke Mitsuda ante el Comité de Salud Pública de la Cámara de Consejeros, 1951

ARTEFACTO NÚMERO 0983:
UN MAPA VIEJO DE HONSHU

El último visitante llega en primavera, cuando lleva cinco años en Nagashima.

Ella parece nerviosa, quizá porque aún le duele el recuerdo de la visita de su hermana el verano anterior. Están sentados en la misma habitación, a la única mesa. Su tío Jiro es un hombre bajo y compacto, mucho más parecido a ella que su hermana.

—¿Qué tal estás?

—Muy bien. De verdad.

—No te veo distinta de como te recordaba. ¿Cuánto tiempo hace que no nos veíamos?

—Desde el Año Nuevo de hace seis, o quizá siete años.

—Tu madre y tu padre te mandan saludos.

Ella sabe que no es cierto, sabe que sus padres no están al tanto de esta visita, está más segura de eso que de ninguna otra cosa en su vida. Pero consigue fingir.

—Gracias. Yo también les mando saludos.

Él no dice nada. Ella lo mira y los recuerdos le dejan una sombra de sonrisa.

—¿En qué estás pensando?

—En nuestra excursión al monte Fuji. Es uno de mis mejores recuerdos de…

—¿De qué?

Ella vuelve la cara antes de contestar.

—Solo uno de mis mejores recuerdos.

—Yo fui el año pasado y pensé a menudo en nuestra excursión.

Y vuelven a sumirse en el silencio. Tal vez en este momento, también él está pensando en aquella excursión de hace más de doce años. Ella sí.

El año en que cumplía nueve años, su tío le había prometido llevarla con él en su ascensión trienal a la montaña más alta del país. El año en que cumplía nueve años. Era la primera vez que viajaba en tren. La primera vez incluso que veía uno de verdad. El viaje era largo, la mayor parte del día y toda la noche, y ella descansaba la cabeza en el hombro del tío Jiro, que tenía la suya apoyada en la ventanilla de madera con la persiana bajada. Durmió poco, entregada al traqueteo del tren durante la noche, a los destellos de luces rojas en el interior del compartimiento. Al principio, y durante bastante rato, pensó que eran relámpagos, y solo cuando despertó su tío y encendió un cigarrillo, se dio cuenta de que estaba equivocada.

Le fascinaba que todo aquello, todo lo que había visto durante el día y todo lo que había pasado sin ver por la noche, fuera su país. Le sorprendía. Mucho más que las 15.540 hectáreas de su isla, que tenía forma de caballo al galope sin cabeza. Su tío le había comprado un mapa y ella iba marcando pueblos, ciudades y estaciones a medida que las iban pasando. Pero cuando salió el sol a la mañana siguiente, había un gran trozo en blanco entre Yokaichi y la estación de Fuji. No rellenaría esa parte hasta el viaje de regreso, sentía que, hasta que la viera con sus propios ojos, a la luz del día, hasta que viera pasar ciudades y pueblos y cómo se detenía el tren en las estaciones, y viera los letreros con sus propios ojos, no habría estado realmente allí.

No era uno de esos días hermosos y despejados, como salía en las imágenes del monte Fuji que conocía, con una nube perdida cerniéndose majestuosamente sobre el cono volcánico, sino húmedo y nuboso. Solo se veía hasta la mitad de la montaña y su tío debió de notar su decepción.

—El tiempo cambia a cada momento sobre Fujisan.

Siguieron andando, pero parecía que la montaña nunca se acercara.

—¿Cuándo llegaremos a Fujisan?

—Hace tres horas que estamos caminando sobre Fujisan. Todas estas hermosas tierras cultivadas nos las dieron los dioses de la montaña. Pasaremos la noche aquí, cerca del pie. Mañana empezará la verdadera ascensión. Serán más de doce horas.

Pasaron la noche en un antiguo templo que, según le dijo

su tío, era para los adoradores de la montaña. Le explicó también que la montaña se dividía en diez etapas y que aún hacía poco tiempo que a las mujeres se les permitía pasar de la octava. Los verdaderos escaladores de Fujisan amaban la montaña, le aseguró, y creían que estaba habitada por dioses y espíritus ancestrales —no solo Fujisan, sino todas las montañas de Japón— que pasaban todo el invierno dentro de ella y descendían en primavera para proteger los arrozales. Después de la cosecha, regresaban al interior de la montaña.

—¿Veremos a alguno de esos dioses, tío Jiro?

—Los hemos visto en cada planta de arroz y en cada árbol por los que hemos pasado hoy. Están aquí, durmiendo con nosotros esta noche.

La ascensión se inició tras un largo almuerzo de cebada, verduras de la montaña, caballa salada y té verde y marrón. Subieron y subieron, oculta la vista por los árboles. A veces ella vislumbraba el cielo o un rayo de sol, pero nunca tenía una vista completa. Su inquietud inicial, al pensar que caminaba por un volcán, se disipó mucho antes de que llegaran al límite de la vegetación arbórea, a dos mil quinientos metros de altitud, siete horas más tarde, cuando anochecía rápidamente. Se sentaron y descansaron un par de horas, cenaron y ella se asombró de que no hubiera un solo árbol a su alrededor, después de haber estado rodeada de ellos durante todo el día. Yermo. Pedregoso. Oscuro. Sin vida.

—Todo esto es lava y lapilli.

Pensó en preguntar qué era lapilli, pero dejó que la palabra bailara en su boca, porque le gustaba su sonido, le gustaba no saber qué significaba, su misterio.

—¿Por qué no está caliente?

—Esto es un antiguo volcán. Hace más de doscientos años que no ha habido ninguna erupción. Si vas a la isla de Kyushu, encontrarás muchos volcanes activos y muy peligrosos. Algunos sueltan gases que pueden matar a la gente. Fujisan ya no suelta gases ni corrientes de lava, ya no hay terremotos.

—Es una montaña muy grande.

—Fujisan son tres montañas.

—¿Dónde puedo ver las otras dos?

—No puedes. Estamos sobre Shin Fuji y sus erupciones han cubierto los otros dos volcanes. Has de recordar siempre que debes mirar bajo las diferentes capas de las cosas para hallar la verdad.

Cuando reanudaron la ascensión desde la sexta etapa, hacía cada vez más frío, mucho más que los vientos invernales que soplaban desde el mar Interior. Pero las estrellas brillaban con fuerza y le ayudaban a apartar el frío de sus pensamientos. Eran tan grandes y brillantes que a veces se veían a través de las finas capas de nubes. Iba cogida de la mano de su tío, fuerte y rugosa; rugosa, pero no tan afilada como las rocas de lava por las que ascendían. Mucho antes de llegar a la cima, estaba más cansada que nunca. No sentía las piernas. Tal vez era por culpa de la altitud, de modo que pararon un rato. Otros escaladores jadeantes pasaron por su lado; soltaban nubecillas de vaho, como si ellos fueran pequeños volcanes que soltaban vapor en aquel volcán apagado. Ella sabía que su padre estaba en lo cierto cuando le había dicho a su hermano que era demasiado pequeña y que no lo conseguiría, que nunca llegaría a la cima.

—Lo conseguirá —le había contestado el tío Jiro con tono desafiante.

Si el tío no hubiera colgado su mochila a la espalda de la niña y luego hubiera cargado con ella, no lo habría conseguido jamás. Supo entonces aquella verdad hiriente y no la olvidaría mientras viviera. Él la llevó a cuestas los quinientos metros restantes, durante las últimas dos horas. El peso de la mochila la apretaba contra la espalda de su tío, cuyos huesudos omoplatos se le clavaban en el pecho, pero no se atrevió a decir nada porque aquel dolor era mucho menos intenso que el de sus piernas sin vida. Y él siguió avanzando, a veces por encima de las nubes, a veces a través de ellas, por debajo.

Una de las cosas que más recordaba de la excursión y que más la decepcionó fue que ella creía que las nubes eran suaves y esponjosas, pero resultó que no eran más que humedad. Sin embargo, cuando estaba por encima o por debajo de ellas, volvía a pensar que eran esponjosas y suaves, como antes, aunque ya sabía que no era así. Y también recordaba que el tiempo cambiaba muy rápidamente, que era como si se hubiera dormido en septiembre y se hubiera despertado en febrero.

Su tío la dejó en el suelo, volvió a echarse la mochila al hombro, la cogió de la mano, e hizo que fuera andando los últimos minutos que faltaban hasta la cima. Allí había mucha gente, más de cien. Su tío le señaló el nuevo observatorio meteorológico que habían inaugurado hacía un mes. Aún era de noche y las estrellas se veían grandes como almejas. Su tío la abrazó con fuerza y ella notó su calor a pesar del viento que le traspasaba el cuerpo. Reinaba una gran tranquilidad allí arriba, pocas personas hablaban mientras el cielo empezaba a desnudar la noche. Diferentes capas, tonalidades de azules y rojos y naranjas. Los rayos conducían al sol hacia la mañana. El tío Jiro la aupó para subírsela a los hombros, y así fue como rezaron una plegaria de cara al sol el nueve de junio de 1938. Las estrellas se aferraban aún a la noche sobre sus cabezas.

—Estás más cerca de las estrellas que cualquier otra persona de este país.

—¿Y todas estas personas, tío Jiro? —dijo ella, señalando a su alrededor.

—Nosotros también estamos muy cerca, pero tú estás sentada en mis hombros, así que lo estás más.

Y aunque ella no lo sabía entonces, fue ese pensamiento lo que la encaminó en dirección al mar y a la búsqueda de perlas. Sabía que raras veces podría estar en el punto más alto de su país, pero si buceaba, podría estar más abajo que cualquier otra persona en Japón. Y eso era lo que la empujaba a bajar un poco más que las otras buceadoras. Para estar más abajo que cualquier otra persona en el país.

El tío Jiro dijo que volvería a llevarla a Fujisan cuando cumpliera sesenta años, momento en que empieza el segundo ciclo en la vida de una persona. Pero yo estoy aquí, piensa ella, y es mi vigesimocuarto cumpleaños y él está sentado delante de mí en medio de este silencio. ¿Y cuántos años tiene?, piensa. ¿Querrá aún regresar a Fujisan cuando cumpla sesenta años, aunque no vaya ella?

—Salgamos a dar un paseo —le dice él finalmente.

Y eso hacen, pasean por los alrededores y bajan a la playa y al muelle desde donde se ve la isla de Shodo a lo lejos.

—Quiero que cada cumpleaños vengas a este mismo lugar a las ocho en punto y yo te daré mi regalo.

Ella lo mira con extrañeza, pero sonríe un poco, sin saber

qué quiere decir su tío, aunque lo conoce lo bastante para confiar en sus palabras.

—Toma tu regalo de cumpleaños de este año. —Le tiende una bolsa pequeña y plana.

Ella la abre y desvía la vista hacia el cemento del muelle.

—Gracias, tío Jiro.

—De nada. Ahora debo marcharme. No lo olvides, el año que viene, este mismo día, ven aquí a las ocho en punto.

—Aquí estaré.

Aun así, no puede mirarlo, sigue con los ojos clavados en el mapa de su viaje al monte Fuji, que tiene la tinta un poco emborronada. El mapa que ella tenía en la pared de su casa, el mismo que colocará en la pared de la habitación que comparte con otros seis enfermos. Y trasladará ese mapa a su habitación individual cuando la construyan más de tres décadas después.

Al año siguiente, el día de su vigesimoquinto cumpleaños, se despierta temprano y baja al muelle orientado hacia el sur, pero si gira noventa grados hacia la izquierda es la isla de Shodo lo que ve. Su tío dijo a las ocho y apenas pasan de las siete.

La mañana es agradable, un poco nublada y fría para el mes de mayo. Una barca de pesca de arrastre se desliza sobre el agua frente a ella. Solo hay un pescador. Está demasiado lejos para leer el nombre pintado en el costado. Si estuviera en la isla de la Mano, en el extremo más alejado, podría leerlo, pero no desde aquí. Tal vez sea el hombre al que ve en sus zambullidas nocturnas. Si lo es, ¿la verá con la claridad suficiente para reconocerla? Se da la vuelta y espera hasta que ya no oye la barca.

El tiempo pasa y los hortelanos bajan a los huertos, los pescadores de Nagashima han recogido ya las redes, sus capturas, pues no se adentran demasiado en el mar Interior; hace unos años, los pescadores locales se quejaron de que los pescadores de Nagashima contaminaban las aguas y ahora tienen prohibido pescar a más de cien metros de la playa.

Pasan de las ocho y ella sigue sin ver nada en la isla de Shodo. Tal vez lo haya olvidado, piensa. Pero no, el tío Jiro no es una persona que se olvide de las cosas: recuerda cada detalle minúsculo, las fechas de todas sus ascensiones al monte Fuji, de los tifones que han asolado las islas del mar Interior, de los terremotos. Recordó su cumpleaños el año pasado, ¿por qué iba a olvidarlo este año?

Está tan avergonzada que rechaza la posibilidad de que la haya olvidado, la rechaza aunque sabe que es cierta. Espera que sea cierta. Cuando estaba en aquel mismo muelle el año pasado, el tío Jiro no dijo si sería por la mañana o por la noche, solo dijo a las ocho en punto. Ella se queda allí unos minutos más, como si todos los enfermos supieran lo que está haciendo y quisiera aparentar que no ha cometido un error.

El día es largo, todo se ralentiza. Mientras da los masajes, las manos le pesan como piedras, cuando friega las pilas, parece como si frotara arena con el cepillo. Llega al muelle temprano y tiene que sentarse, porque moviéndose se pone aún más nerviosa. Quizá su tío venga a visitarla, quizá traiga a su familia, pero no, ella sabe que eso no ocurrirá jamás, y ella tampoco quiere que ocurra. Casi no ha pensado en su familia y, las pocas veces que lo ha hecho, siempre ha sido de manera negativa. Hace rato que se ha puesto el sol; tiene frío y se pregunta si tiene tiempo para volver a su habitación en busca de una manta. Seguramente sí, pero decide no hacerlo, temiendo perderse el regalo de cumpleaños que le tenga preparado su tío.

Las estrellas han ocupado su lugar, las olas lamen el muelle furtivamente; el agua en mayo aún está fría. Al recordar el inicio de la temporada de buceo, siente un escalofrío que le recorre de parte a parte. Se rodea el cuerpo con los brazos y examina la silueta de la isla de Shodo, que casi ha desaparecido. Y de repente, ve una chispa de luz en la cima de la montaña. Mientras contempla la luz vacilante que va creciendo, intenta recordar el nombre de la montaña. ¿Lo ha sabido alguna vez? ¿Tiene nombre? No recuerda haber subido nunca a la cima. El fuego crece y pronto parece como si la cumbre pelada de la montaña tuviera de pronto un mechón de intensos cabellos rojos. Para que las llamas se vean desde Nagashima, sabe que el fuego ha de ser realmente grande.

Inevitablemente, recuerda la enorme fogata que encienden en la cima de la montaña que domina Kioto cada 16 de agosto, al final del Festival Obon, cuando los espíritus de los ancestros regresan durante tres días para visitar su hogar. Muchas familias encienden pequeñas fogatas delante de las casas al inicio de la fiesta para guiar a los espíritus, y de nuevo al final de la fiesta para guiarles en el camino de vuelta al cielo.

Y ahora ella tiene su fogata, ardiendo en su isla natal de Shodo, su propia fogata que arderá para ella cada doce de mayo. Contempla el fuego de pie, viendo la luz que crece y disminuye lentamente hasta ser devorada por la noche. Sus ojos se quedan fijos en el lugar donde antes brillaba el fuego, y ahora imagina a su tío apagando las brasas con agua, y quizá incluso preparándose para pasar allí la noche, asegurándose de que no se escapa ninguna ascua y prende fuego a la montaña.

ARTEFACTO NÚMERO 0536:
UN ROLLO DE GASA

Un martes, después de recibir la inyección, va en busca de una venda nueva para la pierna, que ha vuelto a infectarse. En la habitación se respira un ambiente extraño, los enfermos más jóvenes están enrollando y arreglando las vendas usadas y la gasa, como de costumbre, pero siente como si la siguieran con la mirada al pasar. Y ese sentimiento de extrañeza persiste cuando coge una venda y no encuentra al señor Yamai saludándola mientras le entrega otra a hurtadillas, como si fuera un regalo. Ella querría que estuviera allí, quiere decirle que disfrutó mucho con su lectura y que espera con impaciencia la semana siguiente para una nueva velada de poesía tanka y la segunda mitad de *País de nieve*. Abandona la habitación y antes de bajar los escalones oye una voz suave.

—Señorita Fuji.

Al volverse hacia la voz, ve a una chica joven, una de las alumnas del instituto. Se aleja con ella hacia un lado del edificio y la chica mira a su alrededor con nerviosismo antes de empezar a hablar.

—Anoche se llevaron al señor Yamai.

—¿Quiénes? —pregunta ella, aunque no es necesario.

—Algunos de los administradores —contesta la chica—. No sé quiénes eran.

—¿Por qué?

—No estoy segura, pero algunos dicen que el señor Yamai pidió botas de goma para los trabajadores de la lavandería.

—Ya me dijo que las necesitaban. A los trabajadores se les cae la piel de los pies por estar siempre pisando esa agua.

Sus miradas se encontraron, luego apartaron los ojos.

—No es por las botas —le dice a la chica—. No les gusta el señor Yamai, ni sus historias, su mente les asusta. Gracias por decírmelo, ahora tengo que irme.

La chica la agarra del brazo.

—Tome.

La chica le enseña la mano y en ella hay una venda nueva.

—He visto al señor Yamai darle una venda de más cada mañana —dice la chica, ruborizándose.

—Gracias —dice ella. Se mete la venda en el bolsillo y se aleja a toda prisa.

Artefacto número 0438:
La gran campana sobre la colina de la Luz

La despiertan zarandeándola.

—Señorita Fuji. Señorita Fuji.

Ella se gira hacia la izquierda, apartándose de la persona que la zarandea, pensando que es uno de los enfermos que quiere una medicina.

—Señorita Fuji.

Cuando abre los ojos, le sorprende ver a la señorita Min inclinada sobre ella.

—Señorita Min, ¿qué ocurre?

Hay otras enfermas despiertas en la habitación.

—Es el señor Yamai. El señor Yamai ha muerto, señorita Fuji.

—Pero… —dice ella, y se interrumpe ahí.

Se va al baño, se echa agua en la cara y, cuando se seca, siente como si siguiera mojada. Mientras se lava los dientes, se da la vuelta y ve a varias compañeras de habitación a su lado. Escupe en el lavabo y dice:

—Enseguida voy.

Las demás se inclinan varias veces rápidamente para disculparse y se van por el pasillo. Ella se aclara la boca, se echa más agua en la cara, se moja los cortos cabellos, se echa más agua en la cara y en el pelo. Respira hondo, suelta el aire lentamente, como solía hacer antes de zambullirse, piensa en la noche, hace menos de dos meses, en que leyó el señor Yamai, en cómo sujetaba el libro, con tanto cuidado, con tanta reverencia. No sabe bien por qué, pero le viene a la cabeza una línea de *País de nieve*, de Kawabata: «Polillas, no sabría decir de cuántos tipos, salpicaban de puntos el mosquitero, flotando bajo el claro de luna».

Vuelve por el pasillo llevando la lámpara de queroseno a ras del suelo, pasando por delante de otras habitaciones donde aún hay gente dormida. Rápidamente se cambia de ropa y sale del edificio con la señorita Min. El señor Shirayama está fuera con otra docena de enfermos. No hay luna y no tiene la menor idea de si ha de salir aún o ya se ha puesto. No sabe qué hora es. Tanto podría ser la medianoche como las cinco de la mañana. Reina la quietud cuando se alejan de los edificios, bajan hacia el mar Interior, giran por la derecha antes de llegar, y enfilan el pequeño sendero serpenteado que conduce a la cima de la colina de la Luz. Ella les sigue, consciente de que es allí a donde van, pero sin saber muy bien por qué. Les lleva tres minutos llegar a la cima de la colina y allí, en el claro, está la gran campana: la Campana de las Bendiciones.

—Señorita Fuji, ¿quiere que empecemos?

Ella pasea sus ojos por todos los presentes, vacila antes de acercarse a la campana, que se cierne sobre ella, sobre la colina y toda la isla. Agarra el palo de madera que cuelga de dos largas cadenas, y lo sujeta durante un rato antes de golpear con fuerza la gigantesca campana, cuyo sonido explota en la noche, devorando el sueño de toda la zona. Y lo hace una y otra vez, casi sin darle tiempo a la campana para acabar antes de hacer que brame sobre el mar Interior. Una y otra vez arroja el palo contra la campana, esperando que el sonido llegue a la isla de Shodo, que despierte a todos y cada uno de los que viven allí. Que los despierte y que no les deje volver a dormirse hasta que ella misma vuelva a dormir. Sigue golpeando la campana con el palo hasta que ya no puede más. Empapada en sudor, se hace a un lado y deja que la señorita Min siga tocando.

Hay una hilera que llega hasta la mitad de la colina y ella se va hasta el final y se pone a la cola. La señorita Min se suma a ella y las dos aguardan escuchando la campana y a uno de los enfermos que lee *País de nieve* en voz alta

Y durante los tres días siguientes, la fila no mengua, solo se alarga, y la campana continúa sonando. Suena mientras duermen y hacen cola para la inyección y comen y mientras los alumnos del instituto arreglan y enrollan las vendas y las gasas.

Si, cuando la marea está baja, se mete en el agua hasta las rodillas, llega a cincuenta metros del niño y la niña. Viene aquí para olvidar los dolores dentro de los dolores, todos los masajes que ha dado, todos los enfermos a los que ha ayudado a ir al lavabo, y a los que ha sujetado y ha limpiado después. Viene aquí a veces para recordar que también ella es una enferma, aunque no se sienta como tal. Se lo recuerda la medicina que toma, pero poca cosa más.

Como la mayor parte de los días, siente los brazos como si hubiera pasado el día buceando, pero su cansancio no lo ha elegido ella, sino que le viene impuesto. Son dos tipos de cansancio muy distintos. Así que, cuando dispone de un rato, ahora, a principios de verano, se va a la orilla occidental de Nagashima, el punto más cercano a la isla principal y el pueblo de Mushiage. La playa está cubierta de grandes rocas, de restos de madera de los embarcaderos que un tifón destrozó hace años. Incluso se ha saltado la comida para tener tiempo de venir aquí.

Hoy, una vez más, igual que durante todo el mes, ve a los niños jugando entre las piedras, buscando cangrejos o chinches marinas o conchas. Riendo. Por lo que puede distinguir, no deben de tener más de cinco o seis años, desde luego no pueden tener más, de lo contrario estarían en la escuela, ya que aún falta un mes para las vacaciones estivales.

El niño se baja los shorts y hace pis en el agua. Su hermana o amiga no se distrae de lo que está haciendo. Entonces piensa en la belleza, en la inocencia de hacer pis sin vergüenza. Recuerda que, durante mucho tiempo, cuando empezó a bucear, detestaba y temía el momento de ducharse. Pero con el tiempo acabó acostumbrándose, o casi.

El niño se sube los pantalones y, antes de volver junto a la niña, la ve a ella al otro lado. Sin pensar, le saluda con la mano. Está asombrada, emocionada. Él le devuelve el saludo y vuelve a escarbar con la niña. Ella lo sigue con la mirada, esperando que vuelva a mirarla, y al cabo de un rato, los dos niños se vuelven y la saludan juntos con la mano. Se saludan una y otra vez, turnándose como si fuera un juego, como si no quisieran dejar que el otro fuera el último en agitar la mano. Agitar la mano. Ella se siente bien, casi aturdida, y aunque sabe que, como adulta, debería dejar que los niños ganaran su juego, no puede. No puede dejar que ocurra.

Es casi como en sus zambullidas nocturnas y como cuando ve al hombre de los cabellos desordenados en su barca de pesca. Siente miedo al principio, pero luego, cada vez que lo ve, se demora un momento y lo mira un poco más antes de alejarse corriendo, aunque sólo sea un segundo. Cree que algún día acabará hablando con él, a pesar del enorme riesgo que implica, pero piensa también en la gran contrapartida de la interacción humana, aunque sean solo un par de palabras, una sonrisa, un saludo con la mano. Agitar la mano. Y sigue agitándola después incluso de que los niños le hayan dado la espalda, y aun cuando ella misma le da la espalda a la playa de Honshu, y sale del agua que le llega hasta las rodillas.

Por mucho sueño que tenga, cada noche trabaja con las pastillas de jabón. Si hay luna, como hoy, tiene un poco de luz.

A veces lo hace al tacto. Quizá sean solo cinco minutos, pero lo hace todos los días. Espera hasta que las otras seis pacientes de la habitación se hayan dormido. A escondidas, ha sacado el jabón del almacén, y lo guarda bajo la sábana de su futón. Va cortándole escamas y las amasa para formar una bola de jabón que pueda usar más tarde.

Una noche, poco antes de acabar con las pastillas de jabón, ve a una de las enfermas, la señorita Morikawa, mirándola desde dos futones más allá. No está segura de cuánto tiempo lleva mirándola, no está segura ni siquiera de que la señorita Morikawa pueda verla, con la vista tan dañada como la tiene, o puede que incluso duerma con los ojos entornados. Pero cree que la señorita Morikawa simplemente tiene la mirada fija, como tantas otras veces. Le da la espalda y trabaja en el jabón un poco más, volviendo la vista de vez en cuando, y cada vez, encuentra los ojos de la señorita Morikawa fijos en ella.

—Duérmase.

Nada, los ojos siguen mirándola. Quizá la señorita Morikawa quiere un calmante, y está a punto de irse al edificio de enfrente a buscarlo, pero cambia de opinión y decide que, si lo quiere, al menos debería pedirlo. Corta unas cuantas escamas más de la pastilla, pero ha perdido la concentración y sabe que estando distraída acabará equivocándose. La señorita Morikawa ha sido siempre una entrometida, sabe que mañana le hablará a alguien del jabón. Le encanta ser la primera en iniciar un rumor, en lanzarlo para que alguien lo recoja y lo difunda. Alguien que roba jabón, un rumor estupendo.

Hay otros enfermos como la señorita Morikawa y, en sus días malos, cuando les está dando el masaje, siente deseos de arrancarles la piel. La señorita Morikawa es del grupo de enfermos creyentes, y ella siempre lo ha respetado, solo se molesta cuando intentan imponerle su religión. Le ocurre casi todas las veces que tiene que darle un masaje.

—Debería buscar a Cristo, señorita Fuji.

—Gracias, pero no necesito la religión, señorita Morikawa.

—Él le mostrará la luz en estos tiempos horribles.

—La religión está bien para algunas personas y les ayuda, pero yo no la necesito. Bucear es mi religión.

—Pero eso aquí no lo tiene.

Ella se sintió tentada de decirle a la señorita Morikawa que tenía más de lo que pensaba. Sintió deseos de hablarle de sus zambullidas nocturnas, de los niños de la otra orilla, de la isla de la Mano. No se atrevió.

—Tal vez no pueda bucear aquí, pero tengo los recuerdos y lo que significó para mí.

—Pero ¿y todo el sufrimiento que ha causado a su familia? Este lugar, señorita Fuji, es nuestra penitencia por todo el mal que hemos causado a nuestras familias.

—Yo no he hecho nada malo, señorita Morikawa. No hemos hecho nada malo. Ya he terminado con su masaje.

Y es esta conversación de hace unas semanas la que recuerda mientras talla el jabón, y cuando vuelve a mirar a la señorita Morikawa y ve que sigue con los ojos fijos en ella, le dice:

—¡Duérmase!

Esta vez habla demasiado alto y despierta a otra enferma.

—¿Está usted bien, señorita Fuji? —pregunta.

—Sí, estoy bien, solo le digo a la señorita Morikawa que se duerma.

Oculta las dos pastillas de jabón bajo la esquina superior de su futón e intenta dormir ella también, pero tarda un rato, pues nota que la señorita Morikawa sigue mirándola, esperando poder contarle a alguien lo del jabón robado.

A la mañana siguiente la despierta una de las enfermas.

—Levántese, señorita Fuji.

Ella se despierta y, al darse la vuelta, ve a las otras cinco enfermas que comparten la habitación apiñadas en torno al futón de la señorita Morikawa, que aún tiene los ojos abiertos y fijos. Las enfermas esperan a que ella les diga qué deben hacer. En momentos como este, ella se siente agobiada por la dependencia de las demás y desearía decirles que también ella es una enferma. Algunas la necesitan de verdad, pero otras la utilizan. Se destapa, odia perder el calor que ha logrado crear durante la noche, se acerca al futón de la señorita Morikawa, se inclina sobre ella y le cierra los párpados todo lo que puede.

Tres noches después de la cremación, termina las figuritas de jabón: un pez y una concha de vieira. Le gustaría tener algo para darles color, pero sabe que es una idea fútil. Y ahora que los ha terminado, sabe que mañana por la noche tendrá que ir.

Y va. Para mantener las figuritas de jabón a salvo del agua, las envuelve en una bolsa de plástico y se ríe de la ironía: evitar que el agua toque el jabón. Cuando llega, no recorre el pueblo, sino que se queda sobre una gran roca de la orilla. Deja el pez y la concha sobre una piedra cercana en la que ha visto jugar al niño y la niña. Recorre la orilla agachada, buscando algo que los niños hayan dejado olvidado, cualquier indicio que pueda llevarse consigo.

Mucho antes de la salida del sol, se despierta, friega los lavabos y los váteres, y da masajes a unos cuantos enfermos de la tarde por la mañana para conseguir una hora libre a primera hora de la tarde, cuando la marea está baja. Cuando se dirige a la orilla occidental, está tensa, como si tuviera calambres en el pecho, el estómago y la cabeza. Nerviosa, no porque la pillen, sino por ver si los niños irán a jugar hoy. También ella se comporta como una niña, piensa, pero aparta ese pensamiento de su cabeza y deja que aquella rara emoción la inunde una y otra vez.

Están allí, y la ven casi de inmediato. Ambos se acercan a las grandes rocas donde ella había estado sentada horas antes. El niño y la niña tienen algo en las manos, dan brincos y saludan agitándolas. Ella sabe que son las figuritas de jabón y les devuelve el saludo; a los pocos minutos se detiene, permitiéndoles ganar en el juego. Hoy no le molesta, porque sabe que, cuando los niños vuelvan a casa, llevarán consigo algo de sí misma.

Durante la semana siguiente, trabaja por la noche en otras dos figuritas de jabón, esta vez de un cangrejo y una estrella. Mientras da los masajes a los enfermos, ha pensado en cuál de las figuritas de jabón habrá cogido la niña: ¿el pez o la vieira? ¿Cuál cogerá esta vez? Se apresura a acabarlas, consciente de que pronto acabará el colegio y empezarán las vacaciones de verano, y de que entonces habrá otros niños jugando en la orilla.

Alrededor de la medianoche del primer miércoles de julio, ha terminado. No puede dormir y sabe que seguramente no lo conseguirá en toda la noche. Avanza por entre los futones con cuidado de no pisar a nadie y abandona la habitación sigilosamente, se pone las sandalias y baja al muelle. Coloca las figuritas dentro de la bolsa de plástico, la asegura bien fuerte con hilo de pescar y se zambulle suavemente en el agua. Solo sale una vez a respirar. Su objetivo para el verano que viene es conseguirlo de un tirón, y cada día practica conteniendo la respiración, intentado devolver a sus pulmones la resistencia que tenían hace nueve años.

Una leve brisa sopla en la noche, y aunque el agua aún está fría, la temperatura es casi perfecta. Desenvuelve las figuritas. Esta vez ha usado un trozo de carbón afilado para dibujar los ojos y una sonrisa tanto en el cangrejo como en la estrella, y los deja sobre la misma roca que la semana anterior, luego se demora unos minutos para aspirar el aire nocturno de Honshu. No se queda mucho rato, luego se mete en el agua y se toma su tiempo para volver, arrastrando consigo, como siempre, una densa soledad. Cuando nota el cemento rasposo y cubierto de conchas, sale a la superficie, y colocando las manos en el suelo, se encarama al muelle y busca las sandalias, pero no las encuentra. Están en las manos del director adjunto, el señor Itoh.

Artefacto número 0488:
Una insignia del Partido Comunista Japonés

Ella no sabe nada de todo esto, se enterará más tarde. Hay una gran agitación dentro del edificio; estamos en julio de 1957 y el calor es asfixiante. Aunque no hay ninguna norma que prohíba las reuniones, tienen las ventanas cerradas. Hace dos días, por la noche, el señor Shirayama había hablado con unos cuantos amigos para pedirles que corrieran la voz a todos los enfermos en los que confiaran de que quería celebrar una reunión. Dentro hay más de doscientos pacientes; fuera han quedado las sillas de ruedas de los que necesitan usarlas y la carretilla del señor Shirayama.

La reunión empieza a las seis y media, lo que les da poco más de una hora de luz mortecina. El señor Shirayama se encuentra frente a los demás, increíblemente nervioso, porque nunca ha sido buen orador, aunque le habla a sus cultivos y, de vez en cuando, a las herramientas que guarda en su cobertizo, pero siempre cuando no hay nadie que pueda verlo.

Su voz delata ese nerviosismo y acaba soltando lo que quiere decir atropelladamente.

—Primero se llevaron al señor Yamai y murió, ahora han encerrado a la señorita Fuji en la celda de aislamiento.

No hay muestras de sorpresa, lo cual no le resulta extraño, pues las noticias vuelan en Nagashima. En menos de una hora pueden transmitirse al total de mil setecientos pacientes. Pero los doscientos que hay en la habitación no emiten ningún sonido, dejando al señor Shirayama la tarea de continuar.

—¿Qué vamos a hacer al respecto?

En medio de un segundo silencio, el señor Shirayama no sabe muy bien cómo continuar. Es entonces cuando acude al rescate el señor Nogami, un paciente que llegó a Nagashima unos meses antes que el señor Shirayama, en 1939. Apenas se han hablado en los dieciocho años que llevan en la isla. El señor Shirayama opina que es un hombre profundamente amargado que no ha conseguido acostumbrarse a estar aquí y a la carga que ha supuesto para los demás. Por supuesto todos tienen sus días malos, pero él parece no tener ninguno bueno. El señor Shirayama procura evitar a personas como el señor Nogami siempre que puede, porque no cree que pudiera sobrevivir en este lugar si permitiera que la amargura se apoderara de él. No es que intente reprimir la amargura, sino que más bien se ha olvidado de ella. Para él es más fácil borrar los primeros dieciséis años de su vida, cuando no estaba enfermo, en lugar de recordarlos y tener que soportar luego el gusto agrio que dejan tras de sí. El señor Shirayama solo soporta su propia historia a través de las historias de los demás, al menos así no siente que le oprime el corazón.

En cuanto al señor Nogami, cree que tiene todo el derecho del mundo a estar furioso por muchas razones que lo justifican. Fue su madre quien lo visitó cuando finalizaba su primer año de estancia en la isla, y lo último que le dijo fue que no volviera nunca a casa, ni siquiera cuando muriera.

Fue el señor Nogami quien enfureció a muchos de los pacientes el día en que el país se rindió y estaban escuchando el discurso del emperador. El señor Nogami se levantó y gritó: «¡Banzai! ¡Banzai! ¡Banzai!». Sus gritos sorprendieron a todos casi tanto como oír la voz del emperador en persona. Doce años más tarde, todavía hay muchos que no lo han olvidado ni le han perdonado por lo que hizo. Cuando se levanta hoy para hablar, el señor Shirayama agradece con alivio que alguien le ayude a sacar adelante la reunión, a pesar de que siente cierta aprensión al ver quién es.

—¡Debemos luchar! —grita el señor Nogami.

Al enterarse el señor Shirayama de que a la señorita Fuji la habían puesto en aislamiento, en un principio pensó en promover una petición y presentársela a los administradores. La idea de la petición le parecía muy radical y le sorprendía que se le hubiera ocurrido. Pero entonces el señor Nogami dijo lo siguiente:

—Nos han traído a este lugar maldito porque estamos enfermos, pero aquí no nos ayudan, sino que nos hacen trabajar día tras día para dar vida a este lugar mientras nosotros nos vamos muriendo. —El lado derecho de la boca siempre le cuelga, de modo que escupe saliva hacia todas partes. Su insignia del Partido Comunista Japonés se agita sobre la camisa.

»¿Cuándo diremos basta? Ni siquiera tenemos derecho a votar. ¿Cuánto tiempo dejaremos que siga todo igual y nos inclinaremos ante esa gente como si nos estuvieran haciendo un favor? ¡Nosotros les hacemos el favor a ellos! ¿Dónde estaría toda esa gente sin nosotros? En ningún sitio. Somos nosotros quienes hacemos posible su trabajo. ¡Existen porque nosotros estamos aquí! Y ya es hora de que recuperemos parte del poder que les hemos dado, de que no dejemos que se aprovechen de nosotros. El señor Yamai no es el primero que ha muerto por su culpa. La señorita Fuji no es la primera, y no será la última, a la que encierran en aislamiento.

Se oyen algunos murmullos entre la multitud. El señor Shirayama no distingue si aprueban las palabras del señor Nogami o no.

—Gracias, señor Nogami —dice mansamente.

El señor Nogami no se sienta.

—Desde luego los superamos en número. ¿Cuántos somos ahora, cuarenta o cincuenta pacientes por cada miembro del personal? Seguramente más. ¿Qué van a hacer, encerrarnos a todos con la señorita Fuji? ¿Aislarnos cuando ya estamos aislados?

La señorita Min se levanta en medio de la multitud para hablar.

—Estoy de acuerdo con el señor Nogami. No pueden hacernos nada peor.

Entonces ocurre algo extraño y sorprendente cuando el señor Shirayama pretende atemperar los comentarios del señor Nogami y la señorita Min con su propuesta de petición. Se oyen unos aplausos y luego unos cuantos más, hasta que la mitad de los pacientes, más o menos, se ponen a aplaudir. El señor Shirayama intenta acallarlos, advirtiéndoles que podrían oírles, recordándoles la gravedad de lo que están haciendo, pero solo consigue que aumenten y, al final, el señor Shirayama acaba dejándose llevar y aplaude también, más fuerte de lo que puede recordar, y espera que la señorita Fuji, encerrada en la celda de cemento que hay medio enterrada bajo una duna en el extremo oriental de la isla, los oiga y sepa que esto no lo hacen solo por ella, sino también por ellos mismos.

La segunda mañana después de la reunión, cientos de pacientes se congregan frente al Faro. Reunidos en lo alto del acantilado de los suicidas, encienden unos palitos de incienso y dedican un momento a pensar en todas las vidas que este lugar ha empujado por la borda. Algunos no se unen a ellos, porque creen que los suicidas eran personas débiles. El señor Shirayama nunca ha estado de acuerdo, incluso ha pensado que eran ellos los valientes, y a veces, en los días más oscuros, ha envidiado su coraje.

Después bajan hacia el edificio de la administración, que está junto al edificio donde todos pasaron sus primeros días en Nagashima.

Apenas ha salido el sol. Han reunido a todos los pacientes con silla de ruedas que han podido, y también han traído solo las sillas de los que no han querido venir. Hay unas cuantas docenas de carretillas, y ocho de los enfermos más fuertes se han pasado gran parte de la noche acarreando las seis pequeñas barcas de pesca desde la orilla hasta allí arriba. Todo se coloca frente al edificio de la administración, convirtiéndolo en un laberinto de treinta metros con pacientes sentados, en sillas de ruedas, dentro de las barcas, sentados y de pie junto a las carretillas.

Los primeros administradores llegan hacia las siete y media. Son cinco hombres con traje, ya que aún no se han puesto la bata blanca y el gorro, pero llevan la mascarilla puesta, transmitiendo con los ojos su perplejidad. Finalmente, el señor Itoh, el director adjunto, toma la palabra.

—¿Qué creéis que estáis haciendo?

La noche anterior, los pacientes habían acordado no decir ni una sola palabra, quedarse allí en silencio, callados, igual que los administradores en los últimos veinticinco años, lo mismo que el gobierno y sus familias. El señor Itoh debe de creer que bastará con las palabras para hacer que den un bote y se dispersen como barqueros de agua, algo que han hecho tan a menudo en el pasado, por lo que permanece inmóvil y aguarda.

—¿Qué creéis que estáis haciendo? —Cada vez alza más la voz. Ahora es menos una pregunta y más una orden—. ¡Qué creéis que estáis haciendo!

Al principio, no hablar es tremendamente difícil para muchos de los pacientes, pero a medida que pasa el tiempo se convierte en su fuerza, y los cientos de enfermos unidos por ella entierran los chillidos del señor Itoh y de sus hombres.

El señor Itoh grita una vez más y luego se aleja, seguido de sus hombres.

El señor Nogami es el primero en hablar cuando se han marchado.

—Los demás quédense aquí, no se muevan.

Señala al señor Shirayama y a los otros ocho pacientes que han acarreado las barcas y repite a los demás que no se muevan de allí. Se van entonces al otro lado de la colina, pasando por el edificio donde celebran las reuniones, los jardines desiertos y la orilla sin barcas de pesca, con las redes abandonadas. Llegan al bloque de cemento, aproximadamente de las dimensiones de quince futones, fuerzan la cerradura y sacan a la señorita Fuji y los otros dos enfermos que hay allí dentro. Están sucios y apestan, y se protegen los ojos del sol.

—¿Qué pasa? —pregunta la señorita Fuji.

—Hemos dicho basta —responde el señor Nogami.

Los demás se llevan a los reclusos, pero el señor Nogami se queda allí con un mazo y empieza a dar golpes contra el edificio. Se le han caído los gruesos lentes que lleva y tiene que golpear a ciegas, una y otra vez. Durante un rato no ocurre nada, pero finalmente consigue atravesar una parte del muro y sigue insistiendo hasta que varios pacientes se acercan e intentan detenerlo, diciéndole que va a hacerse daño. Cuando por fin logran que se calme, lo sientan en el suelo y le quitan el mazo.

Tardan un poco en conseguir que el señor Nogami vuelva al edificio de la administración. Los pacientes no se han movido de allí, siguen sentados en las barcas, las sillas de ruedas, las carretillas. Algunos han ido a buscar comida y agua. Se pasan la mayor parte del día allí y los administradores siguen sin dar señales de vida. A algunos de los enfermos más debilitados los colocan al abrigo del tejado, a otros los meten en el edificio, y se reparte comida para todos.

—Nos quedaremos donde estamos hasta conseguir algunos cambios aquí —ha dicho el señor Nogami, que conserva su resolución, pese a que está débil por tantos esfuerzos.

El sol se pone y ellos siguen allí. Algunos de los pacientes duermen sobre el cemento, otros se apiñan en las barcas, otros se quedan despiertos charlando y pensando en lo que va a pasar. Es ya noche cerrada cuando oyen el ruido de un grupo de gente que se dirige hacia ellos. Luego ven las luces de las linternas. Se acercan más. Se hacen más grandes. Más brillantes. Los pacientes no dicen nada. Los que llegan con linternas y porras tampoco dicen gran cosa; sus blancas mascarillas resaltan en la oscuridad. Empiezan a repartir golpes a diestro y siniestro, aporreando cuerpos, a veces un árbol, cuerpos, las barcas, cuerpos, cuerpos. Vuelcan las carretillas y los cuerpos caen sobre el cemento, los haces de luz de las linternas danzan por todas partes, y así continúa todo y continúa y continúa. Al señor Shirayama y a la señorita Fuji los han empujado a golpes hacia el vestíbulo del edificio. Muchos pacientes están allí dentro. Algunos yacen heridos en el suelo, otros pugnan por volver a salir. A los heridos los atienden utilizando jirones de ropa para vendarlos, para contener la sangre.

Los daños no se ponen de manifiesto hasta el amanecer: cristales, cuerpos, astillas de madera, sandalias, carretillas, una dentadura postiza rota, barcas quebradas, sillas de ruedas estropeadas, ramas de árboles. En el exterior del edificio, rodeándolos, un gran número de policías. Los administradores y otros que nadie reconoce hablan entre ellos, señalando a los pacientes. De vez en cuando, se llevan a uno de ellos colina abajo, hacia la orilla occidental de Nagashima, cerca del muelle de arribada.

Algunos pacientes reciben las inyecciones de Promin, como de costumbre. La señorita Fuji está en el otro extremo del vestíbulo y sostiene la cabeza vendada de la señorita Min.

ARTEFACTO NÚMERO 0453:
UNA URNA BLANCA SIN INSCRIPCIÓN

Si solo hay uno durante todo el día, puede soportarlo. Se dice a sí misma: «Cuando acabe este, ya estará, no habrá más hasta mañana». Y quizá al día siguiente no haya ninguno. Y quizá tampoco al siguiente. Ya ha ocurrido antes: dos, tres días, una semana incluso sin tener que hacerlo.

Con su bata blanca, igual que el médico y las enfermeras, la misma mascarilla blanca, el gorro que parece de ducha y la bolsa de basura —ella es la única con una bolsa de basura—, se ve obligada a presenciarlo todo, y a veces, incluso a ayudar.

Es en los días en que se practica más de un aborto cuando no ve la salida, cuando todo lo que ha ocurrido ha de repetirse de nuevo: la mujer tumbada de espaldas con los pies en los estribos, la inyección de anestesia que pasa de manos de la enfermera al médico, las herramientas en forma de cono utilizadas para dilatar el músculo del cuello del útero, la máquina de succión que se enciende, y luego ese horrible sonido. Es entonces cuando ella canta mentalmente para intentar evadirse de ese ruido de la succión, ese sonido de chapoteo como el de las personas que recogen lochas en el lodo cuando baja la marea, ese mismo sonido de pies o botas pegadas al lodo.

Nunca mira a las mujeres a los ojos mientras están sobre la camilla. Seguramente no saben siquiera que no es una enfermera, sino una paciente, igual que ellas. Una paciente a la que han puesto allí, en la Clínica B, porque la celda de aislamiento ha sido destruida y este es su castigo por lo que creen que fue un intento de fuga hace un año. No supieron entonces, y siguen sin saber, que solo nadaba hasta la otra orilla, daba un paseo y volvía. No importa, ahora ella se ha convertido en portadora del mensaje para todos: no lo intentéis.

Lo único que puede hacer es mirar los pies de la paciente. Los pies y su tensión, con los dedos apretados muy juntos para soportar los dolores, ahogándolos en los estribos. Pero también de los pies ha de apartar la vista. A veces no sabe siquiera quién está sobre la mesa. Hace todo lo posible por no saberlo. Luchando con la bolsa de basura en sus manos, intenta desesperadamente encontrar una canción, cualquiera, clavando la vista en la pared o en el suelo.

Luego le entregan los restos y los echa en la bolsa. El médico ni siquiera la mira. Ella se lo agradece. El peso de los restos. Nunca está segura de cómo sujetar la bolsa, o por dónde. Si la coge con ambas manos por la parte superior, nota que el contenido se mueve. Si sujeta la bolsa por arriba con una mano y pone la otra mano debajo para que no se mueva, entonces toca la cabeza del tamaño de un topo, los pies y las manos minúsculos, y hay veces en que no hace falta que se lo imagine, porque en los abortos a los cinco, seis, o incluso siete meses de gestación, todo está ahí: brazos y piernas, pero con el cráneo hundido por el médico al extraerlo del útero. Espera con la bolsa de basura abierta hasta que el médico arroja en ella la placenta, y luego la cierra y abandona la habitación. Y está absolutamente claro y está absolutamente segura, no se necesita imaginación para saberlo, de que ella forma parte del asesinato.

Siente deseos de echar a correr hacia el cubo de la basura, que está fuera, en la parte posterior de la Clínica B, pero sabe que no debe permitir que ellos se den cuenta del terror que siente. Llega al cubo de la basura caminando, levanta la tapa y mete la bolsa. A veces el contenido se ha movido de sitio, llenándola de horror, haciéndole pensar que el feto se movía, pugnando por salir de la bolsa. Pero, por muchas ganas que tenga de deshacerse de ella, la deposita suavemente en el interior y luego cierra la tapa con fuerza.

En los días en que está en la sala durante el segundo aborto, intenta imaginar que solo habrá un aborto ese día, pero el agotamiento, un agotamiento enloquecido, le dice que eso no es cierto. Sin saber cómo, vuelve a su habitación; una de sus compañeras se va a decirle a los enfermos a los que ha de dar masajes que no podrá hacerlo. Se deja caer sobre el futón que alguien ha preparado para ella y se queda tumbada, escondida bajo la manta tanto en pleno verano como en invierno. En noches así, siente deseos de que la enfermedad haga estragos en ella y la deje incapacitada, entonces por fin alguien la cuidaría, la alimentaría, la bañaría y le daría masajes hasta que llegara la hora de incinerarla.

Artefacto número 0357:
Una cinta de novia hecha de conchas

Es la quinta noche de la semana en que él se introduce sigilosamente en la habitación y se acuesta con su mujer en el futón. Solo les separan tres futones de ella y tiene que fingir que está dormida. Oye el frufrú de las sábanas, consciente de que intentan no hacer ruido cuando les es prácticamente imposible no hacerlo. Imagina que es como volver a la superficie después de bucear e intentar recobrar el aliento.

Hace unas semanas que el señor y la señora Matsu se han casado, y la primera noche que él se metió en el futón de su mujer, ella tardó un rato en comprender qué ocurría. Vio que las mantas se movían y pensó en correr a una de las alas contiguas del edificio en busca de ayuda, porque no sabía a qué se debía el movimiento. Sabía muy poco de esas cosas, solo que las buceadoras solían bromear y lanzarse pullas acerca de sus maridos, pero ella era solo una oyente, nunca participaba ni comprendía gran cosa.

Ahora, las noches que él entra en la habitación, espera a

que las mantas se queden quietas y, al cabo de un rato, por fin puede dormirse.

Tres meses después de casarse, la señora Matsu la aborda durante su guardia nocturna.

—Sé que trabaja en la Clínica B y lo que hacen allí. Estoy embarazada y necesito su ayuda —le susurra al oído.

—¿Qué quiere que haga?

—Nada. Necesito que no diga nada.

—Nunca le permitirán tener el bebé. Además, yo no tengo voz ni voto.

—Si no lo saben no podrán quitármelo.

La señora Matsu la mira directamente a los ojos; la luz de la lámpara de queroseno arroja su enorme sombra sobre la pared que hay a su espalda.

—Yo nunca les diría nada. Odio lo que hacen, pero no tengo otra alternativa. Ellos me han asignado ese puesto.

—Lo siento, no quería ofenderla. Sé que no es culpa suya.

—No pasa nada. Pero que el embarazo esté muy avanzado no quiere decir que no le hagan abortar igualmente, señora Matsu.

—Pero si consigo dar a luz, quizá pueda quedarme el bebé.

—Han hecho abortos en el sexto e incluso en el séptimo mes.

—Estoy dispuesta a correr el riesgo. Necesito que me ayude a ocultarlo.

—Durante un mes o dos no creo que sea difícil, pero a partir de los cinco meses, será casi imposible.

Ella recuerda que en la isla de Shodo, algunas embarazadas llevaban un amplio obi* para apretarse el estómago con fuerza, y no se les notaba que estaban embarazadas si uno no se fijaba mucho. Entre la señora Matsu y ella hacen un obi más ancho y consiguen ocultar el embarazo incluso hasta el sexto mes. Les ayuda el hecho de que la señora Matsu no haya sido nunca una persona aficionada a salir mucho al exterior, ya que trabaja en su habitación cosiendo los forros de algodón de los uniformes acolchados que llevan en invierno.

Antes de dejar la habitación cada mañana, ella comprueba el estado de la señora Matsu que, a pesar de sentirse débil, se ve resplandeciente, como no ha visto nunca a nadie, ni siquiera en la isla de Shodo. Es la señora Matsu la que la ayuda a soportar la jornada en la clínica, sobre todo los días en que hay una paciente sobre la camilla y ella tiene que tirar una bolsa a la basura. En los peores momentos, piensa en volver a su habitación por la noche, cuando solo encontrará una lámpara de queroseno encendida, y en que las seis mujeres se apiñarán alrededor de su secreto para tocar el abultado vientre. Es como la piel de un tambor *taiko*, dice una de ellas, y todas se echan a reír y recuestan la cabeza en el vientre para notar las patadas del bebé, para oír los sonidos del interior.

Hacia el final del octavo mes, es la señora Matsu la que está sobre la mesa de la Clínica B. La bandeja de instrumental, frío y pesado en cualquier estación, espera a que llegue el médico. Cuando este entra en la habitación, la mira a los ojos, que

---

* Amplio cinturón de tela que ciñe el quimono a la cintura. *(N. de la T.)*

es lo único que queda visible tras las mascarillas. Los ojos del médico le dicen que sabe quién es y qué relación tiene con la mujer que hay sobre la mesa. Solo en ese momento —cuando él la mira al pasar por delante, sin pararse ni aminorar el paso, y volviendo luego la cabeza para mirarla por encima del hombro—, empieza a sentir miedo por sí misma y por la señora Matsu. Cualquier esperanza que hubiera podido abrigar de que todo aquello fuera a salir bien queda aniquilada.

Durante toda la operación, procura no mirar la camilla ni ningún otro punto cercano a la señora Matsu, ni siquiera sus pies, los pies hinchados de una mujer embarazada. Intenta extraer una canción del recuerdo, pero esta vez no encuentra ninguna. Ni siquiera recuerda los títulos de las canciones, ni una sola nota le viene a la cabeza. Después, sólo le parece haber oído un pequeño ruido, como el que hacía una buceadora al arrancar una aleta. Cree oír a la señora Matsu diciendo: «No», pero no está segura y nunca lo sabrá con certeza.

Tiene la bolsa abierta más por costumbre que por otra cosa, y gira la cabeza, esperando saber por el peso que ya está, que debe dar media vuelta, abrir la puerta, recorrer el pasillo, salir por la puerta de atrás, levantar la tapa de uno de los cubos de basura y echar la bolsa en su interior. Pero no nota ningún peso, solo que de pronto se la arrancan de las manos y la arrojan al suelo, todo en un único movimiento de la mano derecha del médico, pues con la mano izquierda sostiene el bebé como si fuera un cachorro ahogado.

—Cógelo. Encárgate de decírselo a todos los enfermos que conozcas. Esto no volverá a ocurrir.

El médico sale de la habitación después de dejarle el bebé en los brazos con el cráneo aplastado, y se queda sola con una enfermera y la señora Matsu, que aún está en la camilla. La enfermera se agacha para recoger la bolsa y luego coge el bebé. Ella siente por un breve instante el deseo de no soltarlo, pero ya no está en sus brazos, sino dentro de la bolsa. Luego se la devuelven y el peso le dice que el bebé está ahí, que ha de dar media vuelta, abrir la puerta, recorrer el pasillo, salir por la puerta de atrás, levantar la tapa de uno de los cubos de basura y echarla dentro.

Y eso es lo que hace.

Artefacto número 0623:
Un cerezo bonsái

Camina por entre las húmedas flores marrones. A las flores de los cerezos les han arrebatado su semana de esplendor las fuertes lluvias que las han tirado al suelo a los dos días de abrirse. Es la primera vez que vuelve a la orilla occidental de la isla desde la rebelión.

Muchas veces ha pensado en el niño y la niña. Así consiguió soportar los días en la celda de aislamiento. Durante todo el invierno no ha hecho más que pensar en los niños, y piensa en ellos también ahora.

Bajo sus sandalias, las flores de los cerezos se pegan a los restos de madera que trae la marea. No ve nada al otro lado y surgen las preguntas. Quizá hayan empezado a ir a la escuela, quizá hace demasiado frío para que vayan allí a jugar, quizá han perdido las ganas de ir a la playa o, tras haber recibido las últimas figuritas de jabón y ver que ella no volvía, quizá han dejado de esperarla.

Ella se queda esperando, manteniéndose alejada de las frías aguas. La marea está alta, pero no importa, no hay nada al otro lado a lo que quiera acercarse. Cuando está a punto de dar media vuelta, oye una voz, luego otra. Titubea, pensando que son imaginaciones suyas o tal vez que las voces provienen de Nagashima. Durante unos instantes no se decide a volverse hacia el canal. Primero echa una ojeada por encima del hombro y después gira el resto del cuerpo al verlos. Está nerviosa, le acomete la timidez. Está encima de un trozo de madera traída por la marea, pero no es lo bastante alta, así que se encarama a una roca y ahí está mejor, pero no mucho; los niños pueden perderse, aunque sea por un segundo, más allá del mar picado.

Agita la mano y ellos también. Es ella la que para primero y les da la espalda. Siente un extraño vacío en su interior que la acompaña durante el camino de vuelta a su habitación, y sigue con ella toda la tarde metiéndose con ella bajo las mantas del futón. Y sabe que no debería haber hecho aquellas figuritas de jabón a los niños, ni habérselas llevado, ni la primera ni la segunda vez. Se reprocha a sí misma no haberse contentado con saludarles y haber hecho las figuras en su desesperación por hacer que los niños se llevaran algo de ella a su casa.

Unos días más tarde, vuelve a la orilla y los niños no tardan en aparecer. Aunque la marea está baja, ella no se acerca al agua, ni siquiera para mojarse los pies. Los niños la saludan con la mano, pero para ella el juego ha perdido parte de su emoción, la energía que antes le daba.

Los niños apenas la han saludado un par de veces, cuando ve que alguien corre hacia ellos. Un adulto. Una mujer. El niño es el primero en volverse hacia la ᵤer que está gritando algo. Cuando la mujer llega hasta los niños, los coge a los dos por los brazos. El niño vuelve la mirada hacia la orilla. La mujer le da una torta en la cabeza y le empuja para que camine delante de ella. La mujer se vuelve y la señala gritando. Dice palabras que ella nunca conocerá. Palabras que ansía escuchar y que la horrorizan.

Antes de que desaparezcan de su vista, siente que se ahoga y se ve impulsada a abandonar la orilla. Tropieza, cae, sube a gatas hasta el borde del terraplén por entre la maleza, los restos de conchas y las rocas. Echa a correr y pasa tambaleándose por delante de la clínica, donde ha de trabajar por esa tarde. Y aunque no se da cuenta en ese momento, pronto se sentirá desconsolada por la realidad de que hoy, para ella, la isla de Nagashima se ha vuelto aún más pequeña.

ARTEFACTO NÚMERO 0624:
UN CEPILLO PARA FREGAR

Al otro lado del canal, en una casa de Mushiage, una madre tiene a sus hijos en el cuarto de baño y los frota con jabón, agua caliente y cepillos. Los frota para limpiarlos y también para liberar parte de su rabia. Al final los niños se lo han contado todo.

—Satomi, se suponía que debías vigilar a tu hermano. ¿No te había dicho que se os podían quemar los ojos si mirabais hacia allí? ¡Lo que habéis hecho es mucho peor que mirar!

A continuación les cuenta la historia que a ella le contó su tío cuando tenía la edad de sus hijos. Una historia que en realidad ella no se acabó de creer, pero que le da ahora cierta justificación al miedo que la atenaza. Luego envía a los niños a su habitación y sigue limpiando la casa y la ropa de los niños y la suya con el mismo brío.

No le cuenta lo que ha pasado a su marido ni a nadie del pueblo, por miedo a que también a ellos los rechacen. Querría llevar a los niños al médico, pero piensa que tal vez se los quiten.

Durante muchos meses no deja de examinar a sus hijos después de bañarlos, diciéndoles que busca la suciedad de todo un día de juegos, pero en realidad busca manchas, un labio caído, un dedo más corto. Sabe solo lo poco que ha visto, oído, imaginado.

Y sigue viviendo en silencio y aterrorizada porque no tiene con quién compartirlo.

ARTEFACTO NÚMERO 0638:
UNA TAZA DE TÉ

El largo camino de vuelta a su habitación después de una jornada en la Clínica B. Cuando llega a su edificio, sigue caminando hasta la habitación de la señorita Min. Deja los zapatos en la puerta y entra. La señorita Min está preparando su futón cuando la ve allí de pie.

—¿Qué hace aquí, señorita Fuji?

—No lo sé. Acabo de volver de la clínica.

—¿Quiere un té o algo de comer?

—Té, gracias.

Mientras la señorita Min prepara el té, dos de sus compañeras de cuarto se van. Hay otras tres durmiendo en los futones.

—Tome. Siéntese en mi futón.

La señorita Fuji se sienta y contempla las grietas de la pared. Hoy no crea ninguna figura, solo las mira.

—Ha sido un día muy largo en la clínica. Una de las pacientes ha muerto sobre la mesa de operaciones. Se ha desangrado.

—¿Quién?

—Me han prohibido decir nombres. Lo siento.

—Comprendo.

La señorita Fuji se toma el té sin dejar de mirar la pared; las otras compañeras de cuarto aún no han vuelto.

—¿Por qué no se tumba un rato?

La señorita Min le coge la taza de té de la mano y la deja en el suelo, en el rincón. Luego la tapa con una manta y sus manos se detienen sobre los hombros de la señorita Fuji. Las manos están frías y los dedos curvados como garras, pero a la señorita Fuji no le importa, no se resiste, pues se siente bien notándolas ahí.

—Era la señorita Hashimoto.

—De acuerdo. Ahora descanse.

La señorita Min frota los hombros de la señorita Fuji con las manos, torpemente, a veces apretando demasiado y otras sin apretar lo suficiente, debido a la falta de sensibilidad. Pero la señorita Fuji no dice nada, pues este primer masaje que recibe en Nagashima es agradable y le ayuda a distraerse de los recuerdos del día.

Hace días que no ha salido de la habitación. Sus compañeras de cuarto le preguntan si se encuentra bien y le llevan un frasco de Promin y una jeringuilla. Se acercan a ella cuando colocan los futones por la noche, y cuando los recogen por la mañana. Siempre ha sido ella la que ha colocado los futones y los ha recogido todos los días y al principio hay cierta confusión, pero las otras pacientes consiguen ayudarse unas a otras a plegarlos y apilarlos. Se comenta que ha sufrido una recaída, que ha desarrollado cierta resistencia al Promin, como otros enfermos. Que la enfermedad ha vuelto a salir de su cueva.

Solo después del segundo sábado en que la señorita Fuji no acude a la isla de la Mano, el señor Shirayama empieza a preocuparse y va a ver qué le ocurre. Le sorprende su delgadez. Se horroriza al encontrar un frasco de Promin sin usar debajo de su almohada.

Ella reconoce al señor Shirayama, pero no dice anda. Su tozudez no se ha debilitado y sigue negándose a que la lleven a la clínica. No puede ir allí y eso lo ve él claramente en su rostro, así que ayuda a sus compañeras de cuarto a cuidar de ella. Tarda dos semanas en recuperarse con líquidos y arroz hervido, para pasar después a comer pescado y verduras. Al cabo de muchos días de negarse a tomar la droga, empieza a ponérsela otra vez.

Apenas habla. El señor Shirayama sabe que todos, en un momento dado, se han tambaleado al borde del precipicio. Durante el mes siguiente, varias de las pacientes menos graves sustituyen a la señorita Fuji en la Clínica B. El señor Shirayama va a decirles que se ha torcido el tobillo y no puede andar. Una débil excusa, pero más débil aún es la respuesta: Ninguna. Siempre que otra pueda trabajar por ella.

Hacia finales de julio, llega el primer enjambre de cigarras. Es la primera vez que la señorita Fuji vuelve a la isla de la Mano desde su crisis. Suelen encontrarse en la cima, pero hoy cruzan juntos el sendero de piedras. Hoy ella quiere ir al otro lado de la isla en lugar de subir a la cima. Hay poca actividad en el agua, ya que las barcas de pesca están amarradas hasta el día siguiente. El zumbido de las cigarras se oye allí, por todas partes, le parece a ella. Jamás le ha tranquilizado ese sonido, más bien lo encuentra irritante. Habla, más por necesidad de olvidar el ruido enloquecedor de los insectos que por un deseo de revelar lo que ha descubierto.

—No creo que salgamos nunca de aquí. He tardado todo este tiempo en comprenderlo. Creo que seguiremos aquí para siempre.

—¿Sería mejor nuestra vida allí, en la gran isla, o de vuelta en nuestros hogares?

—No digo que las cosas fueran más fáciles. Sé que no quiero regresar jamás a la isla de Shodo. Pero a veces creo que podría sobrevivir fuera de aquí. Ir a alguna parte donde nadie supiera quién soy. Creo que podría conseguirlo. Me gustaría descubrir si puedo.

—Sé que podría sobrevivir, señorita Fuji, usted está bien.

La mira y piensa que tiene buen aspecto, pero desde que empezó a trabajar en la Clínica B, hace casi cuatro años, ha envejecido, tiene los ojos pesados. Aún es hermosa, piensa él, pero de una hermosura cansada, por el modo en que camina, con un paso menos pausado que antes.

—A veces siento deseos de dejar que esta cosa me destruya por completo, entonces quizá encontraría justificación al hecho de estar aquí —dice ella.

Por primera vez ha expresado este pensamiento en voz alta. Ninguno de los dos dice nada. El señor Shirayama desea decirle que sabe cómo se siente, pero no es verdad. Él sabe que no podría sobrevivir fuera de Nagashima.

—¿Sabe algo del señor Nogami? —pregunta ella.

—Nada.

—¿Cree que nos dirán algo?

—No lo sé. Es algo en lo que no quiero pensar.

—Bien, ¿y qué sacamos en claro con la rebelión?

—Pequeños pasos, señorita Fuji. Nos han dado esteras para cubrir el suelo de tierra, nos han devuelto nuestro dinero.

—Pero siguen intentando quebrantar nuestro espíritu, dominando todo el poder que les arrebatamos.

El calor la devora, el mar Interior es un horno. El señor Shirayama le da la espalda al agua y señala la cima de la isla.

—Tenemos que empezar a compartir esta isla con los demás.

—¿Esta isla?

—Esto. La isla de la Mano. A mí, y creo que a usted también, señorita Fuji, me proporciona una gran soledad; nos permite escapar de allí. Tenemos que compartir este lugar.

—No es tan grande. ¿Y qué dirán los administradores?

—Cuanto más lo pienso, más cerca estoy de creer que el señor Nogami tenía razón. Tenemos que usar su poder para volverlo en contra de ellos, tenemos que usarlo en beneficio propio.

ARTEFACTO NÚMERO 1830:

TABLA HORARIA DE LAS MAREAS EN NAGASHIMA. OKAYAMA. JAPÓN: 34' 70° N. 134' 30° E.

20-5 04.43 Luna en cuarto creciente
20-5 05.17 3,24 metros marea alta
20-5 11.40 1,56 metros marea baja
20-5 17.15 2,62 metros marea alta
20-5 23.38 0,99 metros marea baja
21-5 06.37 3,24 metros marea alta
21-5 13.04 1,35 metros marea baja
21-5 18.58 2,80 metros marea alta
22-5 01.10 1,03 metros marea baja
22-5 07.43 3,31 metros marea alta
22-5 14.11 1,04 metros marea baja
22-5 20.16 3,12 metros marea alta
23-5 02.29 0,96 metros marea baja
23-5 08.38 3,39 metros marea alta
23-5 15.05 0,70 metros marea baja
23-5 21.17 3,46 metros marea alta

La señorita Fuji empieza a prestar más atención a quién está en la camilla. Aunque aún le duele verles la cara, se obliga a sí misma a hacerlo cuando están en esa habitación. Recuerda marcas en el cuerpo que las distinguen, nombres que tal vez deja escapar alguna enfermera, o miradas furtivas a los gráficos de las pacientes. Cuando coloca el feto en la basura, se fija en el cubo, si es el azul o el marrón. Recuerda toda esta información, se la repite a sí misma mientras camina de vuelta a su habitación y la anota en un pequeño cuaderno que tiene bajo la estera del suelo. Lo mismo que hace con los horarios de las mareas.

Cuando sale de noche a escondidas está más nerviosa que cuando empezó a cruzar el canal a nado. El riesgo que corre es mucho mayor. Pero después de lo que le pasó a la señora Matsu y a su bebé de casi nueve meses, ya no le importa. Nunca les perdonará aquello, nunca les perdonará que la obligaran a participar. Por eso sale en plena noche y se dirige a los cubos de basura que hay en la parte posterior de la clínica. Cuando empezó, hace unos cuantos meses, cogió un poco de aceite de la caja de herramientas del señor Shirayama para lubricar las tapas de los cubos de metal y evitar así que chirriaran. Luego solo tiene que recordar el color del cubo al que arrojó el feto.

Esta noche, se dirige al azul, levanta la tapa y saca la bolsa que había colocado en la esquina derecha más lejana para que no se quedara sumergida bajo el resto de basuras del día. Se coloca la bolsa bajo el brazo izquierdo mientras baja la tapa y se aleja apresuradamente hacia el extremo nordeste de la isla. Una vez lejos de la clínica, respira hondo. Las primeras veces no se daba cuenta de que contenía la respiración la mayor parte del tiempo que tardaba en recuperar la bolsa. Ahora se da perfecta cuenta y contiene el aliento un poco más cada noche. Quizá solo un paso más, o esta noche, tres pasos. Podría atravesar el canal buceando de una tirada, piensa, y sonríe.

El señor Matsu está esperándola, como ya sabía. La idea es tanto suya como de ella, y también la pasión con que lo hace.

Desde luego para él es algo mucho más personal. No es nada extraño que él ronde por allí a veces a altas horas de la noche, pero la presencia de la señorita Fuji no está justificada. Cuando pasa por delante del cobertizo donde el señor Oyama pinta las urnas, la señorita Fuji ata una cinta verde en el picaporte de la puerta y vuelve a su habitación.

Se siente casi tan viva como aquellas noches en las que nadaba, las noches en las que iba a dejar las figuras de jabón para los niños. Se acerca al futón de la señora Matsu y le toca el hombro izquierdo, donde sabe que aún conserva la sensibilidad, para decirle que todo ha ido bien.

El día siguiente el trabajo se hace muy largo, más largo a causa de la espera, de la duda sobre si todo ha salido como estaba previsto. Cuando la clínica cierra, se va corriendo a los jardines, donde el señor Shirayama tiene su pequeño cobertizo para trabajar. Le da la vuelta a la carretilla, la deja de pie y coge el pequeño saco de tela con la urna dentro. De camino al edificio A-7, oculta el saco entre unas grandes rocas. Hoy le resulta muy fácil encontrar a la mujer, la señora Wakano, pues ayer por la mañana vio el gráfico que sostenía la enfermera antes de iniciar la operación. Vio el nombre, e incluso el número del edificio. Lo único que ha de hacer es ir allí y preguntar por ella.

El A-7 no es distinto del A-10, donde vive ella, o de cualquiera de las docenas de edificios de los pacientes. Entra en él y respira hondo. Esta parte es la más difícil.

—¿Dónde puedo encontrar a la señora Wakano? —pregunta a la primera persona que ve.

—Al final del pasillo, en la segunda ala a la derecha.

—Gracias.

Sigue las instrucciones de la mujer a la que ha preguntado e inmediatamente distingue a la señora Wakano de los demás pacientes que hay en la habitación.

—¿Señora Wakano?

Se pregunta si la mujer la reconocerá del día anterior, pero cree que no, porque llevaba puesta la mascarilla.

—Sí.

—Soy la señorita Fuji del A-10. ¿Podría hablar un momento con usted?

—Sí.

La señorita Fuji detesta el momento en que el miedo ensombrece el rostro de la paciente. En algunas, la expresión desaparece con la misma rapidez con que se presenta, en otras permanece inamovible y pesada. Espera unos segundos hasta darse cuenta de que la señora Wakano cree que se refería en la habitación y no en privado.

—Lo siento, pero tendría que ser fuera, si no es mucha molestia.

Recorren el pasillo sin decir nada. Ella desearía hablarle, tranquilizarla diciéndole que todo va bien, pero sabe que no debe decir nada para protegerlas a las dos. Cuando llegan fuera, la señora Wakano es la primera en hablar.

—¿Qué quiere? —pregunta con voz cautelosa.

—He venido para ayudarla, señora Wakano. Ayer estaba en la clínica.

Siguen caminando sin hablar, pasando junto a un grupo de pacientes.

—Estoy asignada a la Clínica B desde hace unos años y…

—Sé quién es usted, señorita Fuji. Recuerdo que usted era la que nadaba de noche. Está bien.

—Gracias, señora Wakano. —Se siente incómoda al ver que, en lugar de consolar a la señora Wakano, es la señora Wakano quien la consuela a ella. No es la primera vez que ocurre, pero no se ha acostumbrado aún, quizá no se acostumbre nunca. Enfilan el pequeño sendero y allí la señorita Fuji coge el saco de tela de entre las rocas.

—Esto es para usted. Sé que no es mucho, pero es cuanto podemos hacer.

La señora Wakano abre el saco y extrae la urna blanca e inmaculada. No dice nada.

—No puedo guardarlo.

—Si no quiere las cenizas, lo comprenderemos. Algunas personas las han esparcido sobre el mar, otras por aquí, otras no las quieren.

—No, sí las quiero, por mi marido y por mí, pero el riesgo es demasiado grande. No quiero tener más problemas, señorita Fuji.

—Lo sabemos. Hemos empezado a hacer un altar allá, en la isla pequeña. Mañana por la noche habrá marea baja hacia las once y media. Podemos cruzar hasta la isla y luego puede usted volver con su marido siempre que quiera.

La señora Wakano cierra el saco de tela y se lo devuelve.

—Gracias, señorita Fuji. Nos encontraremos aquí mañana por la noche a las once y media.

Cruza hasta la isla de la Mano con el señor Shirayama y los señores Wakano. Están a finales de mayo y la noche es fresca, la primera noche del cuarto creciente. Cada uno lleva un pequeño farol de queroseno para facilitar la travesía. Cuando suben los noventa y cinco escalones y llegan a la cima, la señorita Fuji abre el pequeño altar que han construido. El señor Shirayama le tiende el farol. La señora Wakano sujeta el saco y su marido saca la urna. Se acercan al altar y colocan la urna dentro, junto al lugar de descanso de otras dieciséis urnas blancas e inmaculadas. Encienden un palito de incienso y una vela y rezan una oración. Ella y el señor Shirayama recogen sus faroles y dejan solos a los señores Wakano, diciéndoles tan solo que deben volver a cruzar antes de la 1.00, momento en que subirá la marea y tardará doce horas en volver a bajar.

ARTEFACTO NÚMERO 0735:
UN CERTIFICADO DE MATRIMONIO DE NAGASHIMA

—Señorita Fuji, tengo que pedirle un gran favor —dice la señorita Min una noche, mientras ella le da el masaje.

—Si puedo, intentaré ayudarla. ¿De qué se trata?

—No debería pedirle que hiciera algo así.

—¿Qué es, señorita Min?

—Me resulta embarazoso pedírselo.

—Hable, por favor.

—Quiero casarme y necesito que me ayude.

Sus manos se detienen donde están, sobre la parte baja de la espalda de la señorita Min.

—Lo siento, señorita Fuji, sé que no debería haberla puesto en este compromiso.

Ella sonríe y sus manos vuelven a moverse.

—Me encantaría poder ayudarla. Me sorprende que alguien me pida una cosa así.

—Es el señor Munakani.

—¿El que tiene lepra?

Asombrada, la señorita Min la mira. Y se miran la una a la otra durante un rato antes de echarse a reír las dos. Ríen y ríen tan estruendosamente que las oyen los que pasan por allí. La señorita Fuji aparta las manos para secarse las lágrimas, usando las mangas para evitar el contacto con el ungüento. Luego, después de una pausa en las risas, las dos empiezan otra vez y las lágrimas vuelven a rodar por las mejillas de la señorita Fuji. Sigue así hasta que por fin ve a la señorita Min a través de un velo acuoso y se da cuenta de que no tiene lágrimas en los ojos, ni en las mejillas, ni en el futón.

¿Adónde han ido todas sus lágrimas?, se pregunta.

—Me encantaría ayudarla, señorita Min —repite, quitando la toalla de su espalda para ayudarla a ponerse la bata de algodón con la que duerme.

—Gracias, señorita Fuji.

—No hay de qué.

—No. Gracias por la risa.

—Gracias a usted también, señorita Min. Buenas noches.

—Buenas noches, señorita Fuji.

La señorita Fuji cierra la puerta y llega a su edificio sintiéndose sola. ¿Cuándo las lágrimas de risa se convirtieron en un río de tristeza? Sabe que esta noche será de poco dormir.

A la semana siguiente va a ver al señor Munakani. Hace ya bastante tiempo que la señorita Min y el señor Munakani se conocen. Él es un antiguo oficial naval, tiene interés por Corea y a menudo charla con la señorita Min y algunos de los demás coreanos sobre su país. Ella se siente triste muchas veces cuando está cerca del señor Munakani porque la enfermedad aún deja ver lo bastante de él para imaginar cómo había sido. Aún quedan indicios de los hombros anchos, las manos fuertes, la mandíbula cuadrada y dura, los ojos grandes. Con algunos de los pacientes se necesita bastante imaginación para recrear su antiguo ser, con algunos es imposible, pero con el señor Munakani es fácil.

Se siente incómoda en su posición de intermediaria, no está segura de cómo debe abordar el tema. Las últimas noches ha dado vueltas y más vueltas a posibles formas de hacerlo.

«La señorita Min quiere casarse con usted.»

«¿Qué le parecería casarse con la señorita Min?»

«Conozco a alguien que querría casarse con usted.»

Todo le parecía demasiado directo, infantil. Hubiese querido pedirle consejo a alguien, pero pensó que no sería correcto. No sabe nada sobre esta tarea de intermediaria, no conoce las formalidades.

Están sentados tomando té de cebada, compartiendo galletas de arroz y una charla insustancial. Entonces lo suelta.

—La señorita Min querría casarse con usted, señor Munakani.

Se queda aliviada y sorprendida al mismo tiempo. Cuanto más tarda el señor Munakani en hablar, más difícil, más violento le resulta. Se pregunta si ha hecho algo mal, si se ha saltado algún paso.

—No puedo, señorita Fuji. No podré casarme jamás.

—Es una persona maravillosa.

—Lo es. No es a la señorita Min a la que le pongo peros. No es a ella en absoluto.

La señorita Fuji no sabe qué decir, de modo que espera a que el señor Munakani continúe cuando él lo decida. Desearía tener más té de cebada.

—Son las normas de este lugar las que se interponen.

—¿Normas? Está permitido casarse, señor Munakani.

—Sí, lo sé. Pero si me caso, tendré que aceptar que me esterilicen. Y eso, señorita Fuji, no puedo hacerlo. Ni siquiera por la señorita Min, que, como usted dice, es una mujer maravillosa. Pueden quitarme todo lo demás, pero eso es algo que, al menos por ahora, está bajo mi control.

Ella piensa en cómo se lo dirá a la señorita Min. Pero ¿qué puede hacer?

—En la clínica he oído a los médicos decirles a los pacientes que, un par de años después de la esterilización, pueden revertir el proceso.

—Es usted demasiado crédula, señorita Fuji.

Ella sostiene la taza de té en la mano y contempla fijamente el interior vacío con unos cuantos gránulos de té marrón en el fondo.

—¿Quién ha oído hablar alguna vez de un lugar semejante? Un lugar sin los juegos y las risas de los niños.

Ella no dice nada, espera de nuevo a que él continúe si lo desea.

ARTEFACTO NÚMERO 1059:
UN IMPRESO DE ALTA MÉDICA

—Por supuesto que puede marcharse, señorita Fuji —dice el administrador Kaneko.

Ella está de pie ante su escritorio, atónita al oír esas palabras. Aún le sorprende más el hecho de que esté allí siquiera. Lo ha hecho y ya está, sin planearlo, simplemente ha entrado y ha pedido hablar con él. ¿Es posible que si lo hubiera preguntado hace cinco o diez años, la respuesta hubiera sido la misma? En realidad no estaba preparada en modo alguno para aquellas palabras. El administrador Kaneko busca en un armario archivador, saca una delgada carpeta amarilla y la arroja sobre el escritorio mientras con la otra mano cierra el cajón del archivador. Abre la carpeta, saca un papel y le da la vuelta para que ella pueda leerlo.

—Tenemos pacientes que van a Honshu casi todos los días. Sin embargo, para que le den el alta, el alta definitiva, señorita Fuji, debemos seguir un par de normas. En primer lugar, debe estar libre de la enfermedad durante doce meses. Eso, por supuesto, significa que, si la prueba demuestra que está libre de la enfermedad, como mínimo tendrá que esperar al año que viene por esta época para que le den el alta. En segundo lugar, ha de tener un trabajo garantizado.

—¿Un trabajo?

—Sí. No podemos lanzarla al mundo de ahí fuera sin medios para subsistir. No queremos que dependa de los demás, que sea una molestia.

—¿Cómo conseguiré un trabajo?

—Bueno, no he dicho que sea fácil. Hay muchos otros obstáculos que superar, señorita Fuji. Ha de vivir cerca de un sanatorio para que puedan darle su medicina cada día.

—¿Podré volver a bucear?

—Por supuesto, siempre que vuelva cada día para tomarse la medicina.

Ella piensa en la barca de remos que la trajo a Nagashima. Imposible regresar cada día.

—¿No pueden darme las dosis de todo un mes de una sola vez, o ir a una clínica más cercana?

—No podemos hacer esto. Las leyes no permiten distribuir más que dosis únicas. Por el momento no se han dispuesto establecimientos médicos que distribuyan la medicina en las comunidades.

La señorita Fuji aparta la vista del papel que hay en el escritorio delante de ella. Las paredes están desnudas, salvo por un par de certificados médicos. Se inclina brevemente ante el administrador Kaneko y se da la vuelta para marcharse.

—Pero, señorita Fuji, ¿no quiere llevarse un impreso de alta médica?

—No, gracias. Volveré a por uno más adelante.

Una vez más, se inclina brevemente antes de abrir la puerta y abandona la habitación.

Artefacto número 1012:
De las estanterías de Nagashima

Cuando estés solo y no tengas nada que hacer,
Deja que esta canción sea tu amigo,
En lugar de mi persona, que apenas puedes ver.

Poema tanka de la emperatriz Sadako
para enfermos de la enfermedad
de Hansen

A menos que nos demos luz nosotros mismos
como los peces del abismo,
No habrá luz en nuestras vidas.

Paciente Kaijin Akashi,
de la colección tanka *Gato blanco*, 1939

1. La lepra es una enfermedad como la tuberculosis y otras enfermedades infecciosas, y no es consecuencia de una maldición.

2. No es una enfermedad hereditaria.

3. La causan unos pequeños gérmenes similares a los gérmenes de la TB.

4. Hay dos clases de enfermos, los contagiosos y los no contagiosos.

5. Solo los enfermos contagiosos esparcen la enfermedad mediante el contacto. De los cerca de 1.500.000 casos en India, solo unos 400.000 son contagiosos.

6. La lepra se puede curar y en años recientes se han hecho grandes avances en el tratamiento de esta enfermedad.

7. La lepra se puede prevenir. Deben tomarse todas las precauciones necesarias para protegerse del contagio.

8. Además de una actitud racional y servicial por parte de las personas, es preciso un esfuerzo organizado y decidido por parte de la comunidad entera para erradicar la lepra.

La lepra en India, de Dharmendra (1958)

Entre los temas de discusión durante la Conferencia Global sobre la Lepra celebrada en 1958, se incluyen: la organización de programas de control de la lepra en el Sudeste Asiático y las regiones occidentales del Pacífico, y los últimos descubrimiento sobre el Promin y la enfermedad, así como la política de aislamiento. Según afirman expertos médicos, la enfermedad raras veces es contagiosa, por lo que solicitan que se ponga fin al aislamiento de la mayoría de pacientes.

Conferencia Global sobre la Lepra de 1958,
Sede: Tokio, Japón

ARTEFACTO NÚMERO 0199:
MUJER, 61, PINTADO EN UNA URNA

A menos de treinta kilómetros, en la ciudad de Okayama, las calles están llenas de ciudadanos que agitan banderas al paso del portador de la antorcha olímpica. La señorita Fuji vuelve de la Clínica B cuando se cruza con el señor Oyama que la saluda en esta noche de enero:
—Mil ochocientos setenta y uno.

No está segura de qué pensar sobre la lluvia. No había llovido nunca en ninguno de sus cumpleaños; hoy cumple cuarenta y tres y no sabe qué pensar. Como ha hecho todos los cumpleaños desde la visita de su tío, baja al embarcadero después del ocaso, pero esta vez lleva un paraguas. No es una lluvia intensa, sino solo una llovizna. Si hubiera salido para un trayecto corto, como los ochocientos metros desde ʼi habitación a la Clínica B, ni siquiera habría cogido paraguas, habría dejado que la lluvia ligera le humedeciera la cara, los cabellos, las ropas.

Era una lluvia parecida a esta, unos meses atrás, la que le hizo detenerse unos instantes, cuando empujaba la silla de ruedas de un enfermo, para volver el rostro hacia el cielo y notarla en él. Se había quedado así un momento antes de darse cuenta de que el enfermo se estaba mojando. Rápidamente siguió empujando la silla, echando casi a correr, como si quisiera recuperar el tiempo perdido, y para disimular su azoramiento. ¿Cómo podía ser tan estúpida y olvidarse? Y antes de poder contenerse, había dicho en voz alta lo que estaba pensando.

—No tiene por qué disculparse. Yo siento las cosas recordándolas. Aún puedo evocar el recuerdo del dolor de una picadura de abeja, similar al de una inyección, pero más duradero. Recuerdo cuando me dejaba el paraguas en casa por la mañana e iba al colegio caminando bajo la lluvia. Una llovizna como la de hoy. Me gustaba. Mi madre no entendía por qué lo hacía, me decía siempre que iba a enfermar. Tal vez tenía razón.

—¿Razón sobre qué?

—Sobre lo de ponerme enfermo.

Ella aflojó el paso, sobresaltada, y miró al paciente, que se señalaba a sí mismo.

—Estoy bromeando, señorita Fuji.

Ella siguió empujando la silla de ruedas lentamente, pero más deprisa que al salir de la clínica. Ninguno de los dos dijo nada hasta que el paciente le pidió que se detuviera. Para entonces, la señorita Fuji había olvidado la lluvia y quería volver a llevar al paciente a su habitación. Él le repitió que se detuviera y ella lo hizo.

—Por favor, recuérdeme qué se siente.

Ella vaciló, preguntándose si bromeaba, esperando a que él volviera a hablar.

—Recuérdemelo.

Ella echó la cabeza hacia atrás como había hecho unos minutos antes, dejando de nuevo que la llovizna le rozara el rostro.

—Es una lluvia cálida y cae tan suavemente que casi me hace cosquillas en la cara. Pero cuando parece que me va a picar y tendré que frotarme la cara, las cosquillas cesan y vuelvo a sentirla cálida y suave.

—Gracias.

Ese día, la señorita Fuji se había sentido bien, casi emocionada, al volver a poner en movimiento la silla de ruedas, como si hubiera aprendido algo nuevo, como si, de algún modo, hubiera dado un paso hacia delante. Tal vez era la simplicidad de lo que había ocurrido, pero de repente empezó a verlo todo con más claridad: todos los años que había pasado allí durante los cuales no pudo entender por qué los pacientes se hacían daño en manos y pies, y ella se enfadaba por su negligencia. Y cómo, a pesar de estar rodeada por ellos —y cuanto más tiempo pasaba allí más necesitaba recordarlo— eso se lo hacía todo más difícil; tal vez se necesitaba algo tan simple como una llovizna para comprenderlos a ellos y a sí misma, un poco mejor.

Y hoy, en la oscuridad de su cuadragesimotercer cumpleaños, es el mismo tipo de llovizna el que cae mientras está de pie en el embarcadero sujetando un paraguas sin abrir. Ha llegado temprano, como cada cumpleaños, pero no siente esa excitación creciente de otros años. Debido a la lluvia. No porque no le guste, sino por el fuego y por la duda de si él ascenderá o no a la cima de la montaña para encenderlo, la montaña a la que ella sigue sin poner un nombre y no está segura de si lo ha sabido alguna vez o si lo ha olvidado. ¿Y si no enciende el fuego esta noche?, piensa. ¿Qué hago?

No sabe muy bien cuánto tiempo lleva esperando, si la lluvia ha arreciado o si lleva allí tiempo suficiente para que haya empezado a empaparla, haciendo que se sienta incómoda. Espera todo lo que puede y luego abre el paraguas. La lluvia sigue siendo tan suave que tiene que concentrarse para oír los golpes en el paraguas, tan suave que ha de pasar un rato para que empiece a gotear por los bordes. Aún sigue sin haber fuego en la montaña. No puede ver su perfil, pero ha habido otros cumpleaños en que tampoco podía verlo y de repente el fuego surgía mágicamente en la cima, devolviendo parte de su forma a la isla durante hora y media.

Intenta contar los años que ha bajado al embarcadero el día de su cumpleaños y le sorprende no ser capaz de distinguir unos años de otros, unos cumpleaños de otros, pues nada en ellos ha sido distinto, salvo para ayudarla a fijar el paso del tiempo, de los años. Sabe que su tío la había visitado cuando llevaba allí cinco años y calcula cuánto tiempo ha pasado: diecinueve años. Le cuesta creer que sea el decimonoveno cumpleaños que acude al embarcadero. Pero debe de ser así, se dice, los números no mienten.

¿Seguiría buceando?, se pregunta, pero rápidamente se aparta del peligroso acantilado de esa pregunta. Retrocede, pero al hacerlo tropieza con otra pregunta perturbadora: ¿no hay fuego por culpa de la lluvia o es porque no queda nadie que pueda encenderlo?

Son las ocho pasadas, lo nota en el cansancio. Cierra el paraguas, sorprendida al descubrir que ya no llueve, y regresa a su edificio donde esta semana tiene que hacer la primera guardia nocturna.

La pregunta la acompaña durante todo el día siguiente y baja con ella al embarcadero por la noche y sigue con ella al otro día y de nuevo en el embarcadero por la noche mientras clava la mirada en dirección a la isla de Shodo. Está oscuro, tan oscuro como la respuesta a la pregunta: ¿No había fuego por culpa de la lluvia o porque no quedaba nadie para encenderlo?

ARTEFACTO NÚMERO 2209:
UN MAPA ESTELAR

Esta noche, volviendo de la Clínica B, oye un sonido por encima de su cabeza que le resulta vagamente familiar, pero que solo había oído durante el día. Levanta la vista y ve, por pri-

mera vez de noche, un reactor lejano que pasa por delante de
Casiopea.

ARTEFACTO NÚMERO 1625:
UNA MIES DE TRIGO

La madre camina por la zona comercial de Mushiage, cuando ve un grupo de gente que se dirige hacia ella. Acaba de
salir de la tienda de fideos de Kato, donde ha comprado unos
fideos frescos de alforfón para la cena. Son cinco o seis personas las que se acercan. Uno parece normal y al principio
ella cree que se trata de un miembro del personal, pero al
acercarse más, se da cuenta de que no es así. Pasan a unos metros de ella. Ella no se mueve, contiene el aliento. A uno de
ellos lo guían por el codo, lleva gafas negras y la nariz está tan
deformada, casi plana, que las gafas le resbalan y solo se libran
de caer al suelo porque las lleva sujetas por las patillas. Cuando esto ocurre, uno de los otros le coloca de nuevo las gafas
en la cara, hasta que vuelven a caer. Cuando el hombre está a
punto de pasar junto a ella, las gafas se le caen sin que nadie
se dé cuenta y allí está, con la cabeza vuelta hacia ella. No hay
ojos detrás de donde antes estaban las gafas, ni cejas, ni pestañas. Pero no tiene agujeros sin fondo como ella había imaginado, sino cuencas del color de la piel. Cree que ha ahogado
su grito, pero no está segura. Parece como si él la contemplara
durante horas, pero en realidad siguen caminando hasta meterse en la tienda de fideos.

El martes siguiente no va a comprar fideos de trigo alforfón, sino que compra tofu y fideos de arroz en el merca-

do. De vuelta a casa, mientras friega los platos, llaman a la puerta.

—Satomi, por favor, ve a ver quién es.

La oye hablar con alguien y al cabo de unos segundos su hija vuelve a la cocina y le dice que es la señora Kato.

—¿La señora Kato? —pregunta, aunque sabe quién es y seguramente también lo que quiere—. Pase y tómese un té.

—No, gracias, debo ir a casa a preparar la cena.

—¿Está segura?

—Sí, gracias. Solo quería ver si estaba usted bien. No ha venido hoy a la tienda y no recuerdo la última vez que no haya venido usted en martes.

—Oh, tenía muchas cosas que hacer en casa.

Se da cuenta de que su hija la escucha desde la otra habitación y piensa en decirle que se ponga a estudiar otra vez, pero no se atreve.

—Siempre puedo traerle a casa lo que quiera, ya lo sabe.

—Sí, señora Kato, y se lo agradezco, pero hoy se me ha ido de la cabeza.

Se quedan en silencio hasta que le ofrece de nuevo un té a la mujer.

—No, gracias.

Ella se pone unas sandalias, abre la puerta corredera y la conduce por el estrecho sendero. Cuando la señora Kato cierra la verja y se encuentra entre los dos focos de luz que arrojan las farolas de la calle, de modo que no puede ver a la otra mujer claramente, le dice:

—Es por esa gente, ¿verdad?

—Sí, lo siento, señora Kato.

Ella oye el crujir de las sandalias de la señora Kato por la calle y la contempla cuando reaparece bajo la luz de una farola y vuelve a desaparecer en la oscuridad. Sigue mirando cómo desaparece y aparece y vuelve a desaparecer hasta que dobla la esquina.

ARTEFACTO NÚMERO 1764:
UN CUADERNO DEL SEÑOR SHIKAGAWA

Después de más de dos décadas, las cosas siguen siendo igual. Parece como si no pudiera verle tal como es ahora, sino como era en el lejano pasado, en su primer día en Nagashima.

Lo había admirado desde el principio, pero siempre guardando las distancias. Él vive en el lado opuesto de los alojamientos, en el edificio A-1, en el extremo sur de la isla. Antes ella casi nunca había tenido que ir hasta aquella parte de la isla para dar masajes o limpiar a los pacientes, e incluso ahora que es enfermera, raras veces necesita ir allí. Pero esta mañana, una de las enfermeras le dice que vaya al A-1 y al A-2 para recoger muestras de sangre. Las pacientes van envejeciendo y los abortos son muy escasos; en los últimos años, sus tareas han pasado a ser más tradicionales: tomar muestras de sangre, poner inyecciones, hacer fisioterapia. Camina por el largo y angosto pasillo recorriendo las puertas de numeración en orden descendente: 2019, 2018, 2017, y se detiene frente a la 2016. Dentro oye una voz. No son palabras de una conversación, sino una sola palabra, luego un par, luego nada, luego otra palabra o un par de ellas. No son frases. No está segura de cuándo lo ha visto por última vez; seguramente durante la venta benéfica del otoño anterior, como siempre.

Espera a que se produzca una pausa entre las palabras para llamar a la puerta.

—¿Qué? —pregunta con aspereza la misma voz que había estado escuchando.

—He venido para sacarle sangre, señor Shikagawa.

—Pase, pase. —De nuevo la voz áspera.

Ella abre la puerta corredera y encuentra al señor Shikagawa sentado en el tatami junto a una mesita.

—Soy la señorita Fuji —dice ella para anunciarse.

El tono de voz de él se suaviza.

—Entre, señorita Fuji.

—Me han enviado a sacarle sangre.

—¿Por qué a esta hora? Siempre por la mañana, cuando estoy ocupado.

—Lo siento, pero me han enviado ahora.

—No lo digo por usted, señorita Fuji. Siempre es agradable cuando la mandan a usted. Deberían mandarla más veces. Siéntese y descanse un rato.

—Tengo que sacar bastantes muestras de sangre.

—No se preocupe. Solo serán unos minutos.

Ella se sienta al otro lado de la mesita. Entre ellos hay un cuaderno lleno de palabras solitarias. Lee unas cuantas: clang, gong, ring, bum.

—Estoy escribiendo. Siento que no se lea muy bien. Estoy perdiendo la sensibilidad en las manos.

Ella se echa un poco hacia atrás, sorprendida, aunque no debería, de que él sepa que estaba leyendo.

—No pasa nada por que lo lea, señorita Fuji, no me importa. Intento encontrar la palabra adecuada para el sonido de una campana. Quizá usted pueda ayudarme.

—No se me dan muy bien las palabras, señor Shikagawa —dice ella, pensando en el ciervo que bebía en el río.

—No me lo creo. Su nombre es muy hermoso y fue obra suya.

—Debería sacarle la sangre.

—¿Qué brazo prefiere?

—Déjeme ver.

Él extiende ambos brazos y ella busca una vena buena.

—El derecho hoy.

Él baja el brazo izquierdo y mantiene en alto el derecho.

—¿Puedo preguntarle qué hacía cuando he llegado?

—Escribía.

—Sí, pero ¿qué escribe? —pregunta ella, retirando la aguja.

—Poesía. Poesía tanka. ¿Le gusta la poesía, señorita Fuji?

—La verdad es que no he leído nunca nada. Fui un par de veces a las sesiones de contar historias. Pero eso fue hace mucho tiempo.

—Desde que murió el señor Yamai no ha sido lo mismo. Era un excelente escritor.

—¿Era escritor?

—Sí. Escribía cuentos. Le publicaron varios. Era el mejor escritor de la isla.

Ella lo mira y ve su rostro pegado al cuaderno y los pequeños cráteres del color de la carne ocultos bajo las gafas azules. El señor Shikagawa es uno de los pacientes a los que la medicina no ha ayudado, porque ha desarrollado resistencia a la nueva droga, el Dapsone. Su estado se ha deteriorado en los últimos años, primero la función nerviosa de los ojos y ahora la falta de sensibilidad por todo el cuerpo.

—¿Puedo preguntarle algo, señor Shikagawa?

—Por supuesto, señorita Fuji.

—¿Cómo sabe qué ha escrito en sus cuadernos?

—Cada noche, uno de mis compañeros de cuarto me lee lo que he escrito durante el día, yo lo recuerdo y continúo al día siguiente. A veces solo es una palabra. A veces se tarda una semana o un mes en dar con la palabra correcta.

—¿Una sola palabra?

—Las palabras son lo más importante que tenemos. Unas cuantas palabras, una palabra, puede cambiar la historia. Imagine que las personas que están a cargo de nuestras vidas hubieran elegido las palabras correctas. Unas cuantas palabras bien pensadas y las cosas podrían haber sido distintas. Por desgracia, eligieron todas las palabras equivocadas.

ARTEFACTO NÚMERO 1390:
UN PAQUETE DE SEMILLAS DE GIRASOL

Cruza el canal por primera vez durante el día. Ha costado semanas convencerla de que no es tan malo ir allí. Muchos años han pasado desde que hacía aquellas visitas nocturnas y no se lo ha contado a nadie. Los pacientes creyeron y siguen creyendo que iba a nadar, no a cruzar el canal y poner el pie en la otra orilla.

Aún ha sido más difícil convencer al señor Shirayama de hacer este viaje diurno.

—No hay nada allí que quiera ni necesite ver. No va a cambiar mi vida.

Finalmente ella lo persuade.

—Yo voy, así que, si yo puedo, usted también puede. Solo serán unas horas, haremos algo diferente, estará bien alejarse de aquí aunque sea por poco tiempo —dice ella, repitiendo el discurso que le han soltado a ella durante semanas.

Ahora van todos en el transbordador, son ocho, y ninguno habla, todos están sumidos en sus pensamientos. Algunos de los pacientes vuelven el rostro hacia la isla principal, otros hacia la orilla que acaban de abandonar; ella, en medio, mira el canal, la estela de agua que deja el transbordador. No puede creer que esté tan nerviosa. El transbordador se dirige hacia el sur por el canal, dejando atrás el embarcadero hasta el que ella llegaba a nado. Recorren unos cuatrocientos metros más antes de que apaguen el motor y guíen el transbordador hacia el muelle, que no lo recibe con el golpe seco que ella esperaba, sino con un crujido, cuando topa con los grandes neumáticos que hay atados a los lados del muelle. El transbordador ha tardado unos seis minutos más que ella en cruzar el canal.

Se ayudan los unos a los otros a bajar por la escalerilla hasta el muelle de cemento. El capitán del transbordador, un empleado de Nagashima, les dice que el barco de la tarde se va a las tres en punto, y que si no están allí tendrán que volver nadando. A ella le parece que lo dice en broma, pero no está segura.

Aquella parte del pueblo es nueva para ella y por el momento no siente demasiado temor. No es lo desconocido lo que la pone nerviosa, sino lo conocido, las calles por las que vagaba en medio de la noche, el pequeño muelle de pescadores, el hombre, los dos niños que ahora ya son adultos y que no la reconocerían, ni ella a ellos. El aire otoñal es frío, el viento parece distinto allí, aunque solo sea porque llega de otra dirección. Después de tantos años, le sorprende sentir aún una antipatía tan grande por el otoño, por lo que representa, lo que representaba: la lejanía de la temporada de buceo, el insoportable invierno que llegaba a continuación. Los ocho enfilan una pequeña carretera que discurre cerca del canal y pasa cerca del muelle donde ha atracado el transbordador.

—¿Qué tal se encuentra, señor Shirayama?

—No sé por qué dejé que me convenciera.

—Porque a mí también me convencieron.

Pasan por delante de unas casas, pero no ve a nadie. No puede evitar la sensación de que están siendo observados, está segura de que hay gente mirándolos o, al menos, ocultos tras una pared de cemento o el matorral de un jardín o en una casa.

Aunque no es algo que hagan todos los días, ya que otros dos pacientes, además de ella y el señor Shirayama, no han estado nunca aquí, los otros vienen unas cuantas veces al año para comprar, sobre todo semillas, aperos y telas.

Ella se fija mucho en el camino que han tomado, pero aun así se sorprende cuando descubre que han llegado a la calle principal, la que sube directamente desde el embarcadero hasta el que ella solía nadar. Mirando hacia la derecha ve el embarcadero, el canal y, más allá, Nagashima. Si el agua no estuviera tan encrespada, podría ver mejor el muelle en el que había pasado tantas horas de su vida, la orilla pedregosa. Pero hoy la brisa otoñal agita las aguas del canal y ella recuerda que en días así tenía que encaramarse a una roca o subir a la colina arenosa para no perder de vista a los niños.

Sigue mirando hacia allí hasta que uno de los pacientes la conduce lejos del muelle para subir por la misma calle que ella tomó la primera noche, y las demás noches también. Ahora hay otras personas, no muchas, solo unas cuantas. Nota las miradas, algunas demorándose mucho tiempo, siguiéndolos, otras huidizas. Ella fija la vista en la nuca de uno de los pacientes. No está segura de si respira o está conteniendo el aliento. Siguen caminando y se acercan al mercado de pescado y oye las voces de los puestos que resuenan en las pequeñas calles adyacentes. Siente deseos de correr en dirección opuesta hasta el embarcadero y volver a Nagashima nadando lo más deprisa posible. Se detienen y ella pregunta al señor Shirayama por qué.

—La señora Makibara ha ido a comprar unas semillas de girasol.

Los demás esperan en la acera.

—Solíamos comer en aquella tienda de fideos de allá —dice un paciente, señalando el edificio con sus persianas metálicas bajadas y el letrero de «Negocio cerrado» colgado en el exterior—. Tenían la mejor sopa de fideos de trigo de alforfón.

Ella teme que sus ojos tropiecen con los ojos de alguien, o quizá que alguien la esté mirando. Le atormenta la duda de si podría sobrevivir allí. Durante mucho tiempo ha creído que sí, pero ahora está en pleno día y hay gente en la calle y ya no le protege la oscuridad de la noche ni el canal.

Cuanto más se adentran en el pueblo, más le contrarían los demás, no la gente del pueblo, sino los siete pacientes que van con ella, la fuente de sus dudas. Piensa en que ellos la convencieron para que los acompañara y está segura de que, sola, podría recorrer las calles sin ninguna traba. Solo destacaría por ser una forastera, una visitante relacionada de algún modo con el pueblo, no sería un monstruo. La palabra la utilizó su hermana —monstruos— y ahora no cree que pudiera defenderlos igual que entonces, no cree sinceramente que pueda hacerlo. Si estuviera sola, los demás no adivinarían la verdad, se sentaría en una mesa, comería un cuenco de ramen o un poco de sushi, y nadie se lo pensaría dos veces antes de servirla, charlaría un poco y seguiría su camino.

Uno de los pacientes la coge por el brazo, no sabe si para instalar a seguir o para ser guiado. Ella le da una palmada en el brazo, y le vuelve a dar otra al ver que no se mueve, hasta que se da cuenta de que el brazo ni siquiera lo ha notado. Pasan por delante de la estación de autobuses y a ella se le pasa por la cabeza la idea de correr hacia el autobús, ir a donde quiera que vaya, hasta el final, y luego coger otro autobús o tren o lo que sea y llegar hasta el final del trayecto. Y así seguir y seguir. Para estar en cualquier parte menos allí, con ellos. El autobús emprende la marcha y se aleja de la estación y de ellos. Un hombre que va sentado en la parte de atrás se da la vuelta para mirarlos por la ventanilla.

Cuando entran en un pequeño parque, empieza a dudar de que sola, sin los demás pacientes, le hubieran servido en las tiendas o le hubieran dejado coger el autobús, pues ella sabía quién era y, de alguna manera, acabaría soltándoselo a todo el mundo. Y es ahora cuando se le mete en la cabeza que es uno de ellos, que no es distinta de los otros, sea cual sea su aspecto. Es igual. Al otro lado del canal, los pacientes dependen de ella, pero aquí, depende de ellos tanto como a la inversa. Tal vez más incluso. Todos ellos se mueven por aquí mucho mejor que ella. La señora Makibara ha comprado sus semillas de girasol y ahora todos están extendiendo unos plásticos en el suelo para comer lo que han llevado consigo. Ella es la única que está sentada en el banco del extremo más alejado del parque, presa de sudores fríos, sintiéndose mareada. En el otro extremo del parque, una mujer joven juega con un pequeño grupo de niños, todos vestidos con los mismos sombreros y uniformes. Sigue mirándolos, cuando el señor Shirayama se acerca y se sienta junto a ella.

—¿Está usted bien, señorita Fuji?

—No lo sé. Me siento un poco mareada.

—Pruebe a comer algo. Esto es difícil para todos nosotros. Quizá sea demasiado estar aquí por primera vez.

—Pero yo ya había estado aquí antes.

El señor Shirayama tiene una expresión de desconcierto.

—Aquí venía aquellas noches. No salía solo a nadar. Venía a pasear por estas mismas calles. Solo que era de noche y no había nadie. Y estaba sola, sin ninguno de ustedes.

La severidad de sus palabras la avergüenza y deja al señor Shirayama como si le hubiera dado una bofetada en la cara. Él se levanta y vuelve a la manta que los otros pacientes han extendido sobre los plásticos. Debe de haberles dicho algo, porque después de comer un rato, uno de ellos se acerca con un par de bolas de arroz y un trozo de pescado.

—No tengo hambre.

—Debería comer algo, quizá se sienta mejor.

—No tengo hambre. —Intenta mostrarse agradable, quiere ser cortés, no quiere hacerles daño, pero aún más quiere que la dejen tranquila, y no consigue dar calor a sus palabras. El paciente se vuelve a la manta con la comida.

Ella mira hacia el sol y las sombras que arroja y calcula que tendrá que quedarse un par de horas más allí antes de volver a Nagashima con el transbordador.

ARTEFACTO NÚMERO 1139:
UNA FOTOGRAFÍA DEL MUELLE QUE DA
A LA ISLA DE SHODO

Durante semanas ha estado pensando en este día. Y ahora ha llegado y ella está en el embarcadero temprano, como cada año. Esta vez no necesita paraguas, porque la noche es clara y hace más de dos semanas que no llueve. Lleva allí un buen rato bajo la luna en cuarto creciente. En una hora, piensa, recordando lo que le había explicado uno de los pacientes, la luna recorría la longitud de un puño levantado hacia el horizonte. La luna se encuentra ahora en su segundo puño y ella ya sabe la respuesta a la pregunta que la ha obsesionado desde su último cumpleaños; no fue la lluvia la que impidió que se encendiera el fuego.

ARTEFACTOS NÚMEROS 2027, 2028, 2029:
UNA ARMÓNICA, UN ACORDEÓN, UN TAMBOR

La primera vez que lo oye le parece un sueño. Distante, pero claro. Luego piensa que es el viento que sopla desde el mar Interior por entre los cedros, pero no nota viento alguno. Hay dos tipos de sonidos; primero, un gemido agudo y después se le une un instrumento musical, una armónica quizá.

El sonido sigue una pauta, una repetición que se interrumpe cada quince o veinte segundos y luego vuelve a empezar. Cuanto más escucha, más se convence de que el segundo sonido es un instrumento musical, una armónica. El primero no consigue identificarlo con ningún instrumento que ella conozca.

Aun así, no acierta a adivinar de dónde procede. Tal vez sea una de esas noches en que el viento trae sonidos del otro lado del canal: el motor de una barca pesquera, el ladrido de un perro, voces incluso, aunque nunca comprende lo que dicen, pero son voces sin duda alguna. Ha intentado poner rostro a esas voces, quizá el del hombre del bote de pesca que había visto cuando llegaba nadando al otro lado del canal, o quizá de los niños. Pero estos pensamientos la fatigan. La noche y la distancia siempre velan los rostros.

Se incorpora sobre los codos y comprueba si hay alguien más despierto, pero no. La señorita Kitanami debería estar haciendo la guardia, pero se ha quedado dormida apoyada en la pared. Le gustaría despertar a alguien, preguntarles si también lo oyen y si saben lo que es. Intenta concentrarse para averiguar por qué oreja le entra primero la música, si la izquierda o la derecha, pero sabe que el sonido engaña a veces. Piensa que quizá está perdiendo oído, quién sabe si por culpa del buceo, igual que, hace una pausa, tarda un segundo en recordar el nombre, Miyako, la querida Miyako, que tenía los oídos dañados por la presión del aire, como les ocurría a muchas de las buceadoras más viejas. A menudo había imaginado que le ocurría a ella, que envejecía y tenía que acercarse para oír las conversaciones, inclinándose cada vez más hasta que prácticamente estaría encima de la otra persona. Y hablaría más alto, imaginando que los demás también eran duros de oído.

La preocupación por su oído se disipa ante el hecho de que no pudiera recordar el nombre de Miyako. Su mentora, su favorita entre todas las buceadoras, la que le llevaba alimentos cuando estuvo escondida aquellas horribles semanas antes de llegar a Nagashima. Intenta recordar los nombres de las demás buceadoras y solo recuerda cinco o seis. Recuerda algunos rostros y sus cuerpos en la ducha, pero no los nombres. Quizá no es el oído lo que está perdiendo, pues la música la oye con claridad, tal vez sea la repetición de los días lo que está embotando su mente.

El segundo sonido es de una armónica, se repite a sí misma, segura casi de que procede de la colina que hay hacia el este de su habitación, cerca del acantilado de los suicidas. Pero ¿por qué y quién? Quiere salir y mirar, pero se queda en la habitación escuchando la música y preguntándose si al otro lado del canal también habrá alguien despierto, escuchando.

Por tercera noche consecutiva, oye la música. Hoy se le ha unido un tambor a la armónica y al otro instrumento. Ha pensado en preguntar a los demás si también la han oído, pero no lo hace, disfrutando con la remota posibilidad de que sea la única que escucha la música todas las noches, como en una función privada. Esta noche, sin embargo, no puede resistirlo más y se pone las sandalias para salir y seguir la música en la noche de principios de marzo.

Los ciruelos han florecido tarde este año y la silueta de sus blancas flores se ve aún, aunque borrosa, recortada sobre el cielo encapotado, cuando asciende la colina. Le gustan las flores de los ciruelos más que las de los cerezos, porque le parecen de igual belleza y no están tan apiñadas, lo que le permite disfrutarlas más. La ligera pendiente del sendero es pedregosa, pero no tan mala como antes. Recientemente ha visto a algunos de los enfermos acarreando piedras del camino en sus grandes cestos de bambú y a otros que lo rastrillaban y lo barrían. La diferencia es notable y ella imagina que un día quizá podrá recorrerlo incluso descalza.

La música aumenta de volumen cuanto más se acerca, pero se detiene de pronto y luego vuelve a empezar desde el principio. No conoce la canción, pero reconoce las mismas notas tocadas una y otra vez. Repetidas cada medio minuto más o menos.

«Ensayo» es la palabra que le viene a la mente. La idea de que las cosas se hacen una y otra vez hasta que quedan casi perfectas, y luego, se vuelve a empezar. La repetición es casi como en el buceo. Ella podía calificar cada día de buceo como bueno o malo o, raras veces, casi perfecto, cuando notaba los pulmones frescos después de cada zambullida y sus manos encontraban exactamente lo que ella quería. Aquellos días eran muy escasos; quizá hubiera uno o dos en cada temporada.

Ha llegado a la puerta del gran edificio que ocupa la cima de la colina. Delante del edificio, apenas a un centenar de metros, está el acantilado de los suicidas. Ella nunca se ha acercado al acantilado, ni de noche ni de día. Solo lo ha visto desde abajo. Desde muy abajo, con el mar arremolinándose en torno a las rocas, tiene una extraña belleza, pero desde allí arriba, aunque es de noche y no ve gran cosa, le parece frío.

Lo bastante para que olvide la música que sale del edificio al que da la espalda.

Se da la vuelta y casi echa a correr hacia el edificio, atraída por la música. La oye de nuevo. Es el mismo fragmento de veinte segundos de una pieza o el fragmento de una pieza que ha oído en las tres últimas noches. La puerta corredera está abierta y hay un lagarto, cuya cola es el doble del tamaño de su cuerpo, sobre el marco. La música se ha detenido como si se hubieran dado cuenta de su presencia. Ella está a un lado de los doce hombres sentados en sillas de madera sobre el tatami. Aunque la noche es fría, algunos van descalzos. Varios tienen la armónica en la boca, listos para tocar, otros la tienen sobre el regazo y escuchan al hombre que hay sentado en un taburete frente a unos tambores.

Se oyen dos palos de madera entrechocando y la música vuelve a empezar. Primero, el sonido que ella no conseguía identificar y que procede de un extraño instrumento que un hombre abre y cierra, con un teclado a un lado. Un instrumento que parece voluminoso e incómodo. Cuando el hombre lo abre y lo cierra, a ella le recuerda el movimiento de un abanico gigante. El ritmo empieza siendo lento hasta que se incorporan las armónicas y entonces se vuelve casi frenético y el tambor retumba como sonido de fondo, haciendo más lento el ritmo hasta que se detiene y solo se oye el crujido de una silla.

—Tenéis que tocar todos juntos y en el mismo tono. Hay demasiados tonos individuales sonando por aquí. Probemos otra vez desde el principio.

Empiezan otra vez, con ese ritmo lento que va subiendo y luego vuelve a bajar.

—Otra vez.

Ella no sabe muy bien cómo le hace sentir la música, si le hace sentirse bien o desesperada, o ambas cosas, subiendo y bajando al mismo tiempo que la música.

—Muy bien, eso está mejor —dice el hombre de los tambores, aunque a ella no le ha parecido distinto de las ocasiones anteriores—. Hagamos un descanso.

El hombre se acerca a ella con las baquetas bajo el brazo izquierdo.

—Espero que no la hayamos molestado.

—No. He oído la música estas últimas noches y me preguntaba de dónde venía.

—Permítame que le presente la Banda del Pájaro Azul. Vamos a tocar un concierto aquí este verano. Como ha podido comprobar, necesitamos ensayar mucho, pero algunos tocan muy bien.

—Es agradable oír música.

—Gracias. Esto nos da algo en lo que pensar durante el día. Podemos ensayar con el pensamiento, lo que nos ayuda a distraernos de las cosas en las que no queremos pensar.

—La única música que había oído aquí eran las pocas canciones que recuerdo. Pero algunos días no lo consigo. Las olvido, o no puedo encontrarlas.

—Espero que esta banda le proporcione nuevas canciones que pueda recordar siempre que las necesite.

—¿Qué es ese instrumento tan grande?

—Es un acordeón. ¿No lo había oído nunca antes?

—No, creo que no. ¿De dónde lo han sacado?

—Antes de venir aquí era profesor de música en un instituto. He conseguido que nos den algunos instrumentos viejos.

—Espero que continúen con esto. Es agradable.

—Vuelva a escucharnos siempre que quiera. Estaremos aquí casi todas las noches.

ARTEFACTO NÚMERO 0901:

UNA HISTORIA CONTADA POR LA SEÑORITA MIN

Mientras la urna se está pintando (Mujer 55), desciende hasta el pie del acantilado. Hacía tiempo que no iba por allí. El invierno ha sido largo, ella ha ido arrastrando un resfriado durante toda la estación y hoy es el primer día en varios meses que se siente lo bastante bien para sacrificar una hora extra de sueño. Mientras camina en medio de la oscuridad de las cinco de la mañana, desearía haberse quedado en el futón. Se siente como una extraña en esta parte de Nagashima; en un día normal, le estremecería la idea de haber perdido otro pedazo de este lugar, como la playa a la que solía ir hace años, frente a Mushiage, o como el embarcadero donde iniciaba y terminaba sus zambullidas. Pero hoy, sabe que ha perdido mucho más que un pedazo de la isla.

Camina por la orilla de conchas crujientes en dirección a las grandes rocas. Aunque todavía no ha salido el sol, el cielo está lo bastante claro para ver por dónde va. Cuando llega a lo alto de la tercera roca, la más alta de todas, ya no se siente como una extraña. Es la familiaridad de estas rocas lo que más le gusta, el hecho de que no parezcan cambiar jamás, de que tarden tanto tiempo en erosionarse con el agua, el viento, los cuerpos que se han estrellado contra ellas. El paso del tiempo es mucho más benévolo con ellas que con nosotros, piensa.

Se mira las manos y las ve como siempre han sido, cortas y de dedos gruesos, pero ahora están llenas de arrugas, la piel es flácida. Y no solo las manos, también el resto de su cuerpo está perdiendo firmeza.

Se sienta sobre su roca favorita.

El sol ha salido, pero lo oculta todavía la pequeña colina del lado oriental de Nagashima. No es un amanecer espectacular en modo alguno, lo que alivia la culpabilidad que siente por no venir aquí más a menudo.

Recuerda el día en que fue a la isla de la Mano con la señorita Min y desearía que volviera para hablarle del ave que ha visto y del pez que esta ha capturado. Hoy, piensa de nuevo, he perdido algo más que un pedazo de esta isla. Mientras mira en dirección al sendero, que aún está bajo el mar, querría rezar, pero nunca ha sido dada a hacerlo. Así que piensa en una historia que la señorita Min le contó un día mientras le daba un masaje:

«Él observa a su madre mientras ascienden. No sabe si el hecho de que ella marche a la cabeza lo hace más fácil o más difícil. Están a mediados de octubre, el inicio del otoño allí, en la parte central del país. Cuanto más ascienden más se acercan al invierno. En la cima, donde van a detenerse, estarán dos semanas más cerca del invierno que abajo en el valle.

»—Veo las hojas cambiar de color y juntos caeremos cuando llegue el momento de reunirse con la tierra —le había dicho su madre a él y a su mujer dos días antes. Era una de las raras veces en que mencionaba la decisión que había tomado la primavera del año anterior.

»Saber que los demás llevan mucho tiempo haciendo lo mismo no le ayuda, no alivia en absoluto la pregunta feroz que se repite burlonamente: "¿Qué estás haciendo?" Ha oído hablar de los hijos que han subido llevando a su madre o a su padre a la espalda, pero son esas palabras las que lo impulsan a subir a él. Aunque su madre tiene setenta años no necesita ayuda, es él quien quiere parar y descansar. Quiere librarse del peso de esa pregunta, quitárselo de la espalda y dejarlo en el suelo durante un rato.

»Una vez más se encuentra en el dilema de si detenerse prolongará el dolor que siente o si se convertirá en un momento para recordar un día con nostalgia, ese momento en que se detuvieron y se sentaron allí mismo, sobre un árbol caído, para charlar un rato agradablemente los dos solos. Pero no se detienen; ninguno de los dos ha dicho una palabra desde que abandonaron la casa hace dos horas.

»Su madre habló de ello en primavera, cuando estaban al aire libre contemplando los ciruelos en flor. Dijo que sabía lo difícil que era alimentar a todos con un campo de arroz tan pequeño, dijo que no quería convertirse en una carga para ellos y que quería hacerlo. Su mujer se había dado la vuelta para hacerle una profunda reverencia a su suegra, demostrándole que la elogiaba por su consideración y su valor.

»—No podemos hacerlo —susurró a su mujer aquella noche, cuando estaban en el futón.

»—Ya la has oído, es lo que ella quiere. Nosotros no la obligamos.

»—Pero es mi madre.

»—Es decisión suya. No podemos evitarlo.

»Su madre se detiene cuando han recorrido unas tres cuartas partes del camino hasta la cima de la montaña. Le falta el resuello, pero no mucho más que a él.

»—Yo me quedo aquí.

»—Pensaba que seguiríamos hasta la cima.

»—Aquí las hojas todavía están cambiando. En la cima hay pocos árboles.

»Él aparta la mirada sin saber qué decir ni dónde posar los ojos.

»—Deberías irte antes de que anochezca.

»"¿Qué digo? ¿Adónde miro? ¿Qué quedará de mí después de esto?", piensa él.

»—Vete.

»Él levanta la cabeza y la mira. Su madre está arrodillada y le saluda inclinando la cabeza; lo mismo hará su mujer a la entrada de casa cuando regrese esta noche. Él la saluda también y sus miradas se cruzan, pero ninguno de los dos puede mantenerla.

»Antes de darse cuenta de lo que ha hecho, ya ha dado los primeros pasos para bajar de la montaña. Imagina que ella seguirá de rodillas y con la cabeza inclinada, pero no puede, no se atreve a darse la vuelta, y sabe que, si lo hace, no podrá continuar con esto. Solo cuando lleva quince o veinte minutos caminando se da la vuelta. Solo ve árboles. Los mismos en los que no se había fijado hace una hora. Se detiene y los contempla durante largo rato y también el sendero, y sabe que no volverá a verlos nunca, que nunca más volverá a subir por ese sendero.

»Semanas más tarde, el hombre sabía que, si pudiera tener la seguridad, el dolor disminuiría.

»Una mañana, de camino a la fábrica de carbón, ve a lo lejos cuervos y halcones que vuelan en círculos sobre la montaña.

»Dos días más tarde, ve pasar a un anciano con su hijo y siente deseos de pararlos y preguntarles adónde van. Pero no dice nada, finge no verlos cuando se dirigen al pie del monte Otake.

»A la semana siguiente, se fija en que los arces que hay junto al altar se han teñido de rojo. Los cedros siguen teniendo un color verde oscuro y lo que queda de los robles es de color oro. Cada uno resalta al otro. Allí, en el valle, cuando los colores son más vistosos, sabe que en lo alto de la montaña las hojas ya han caído.»

ARTEFACTOS NÚMEROS 2030, 2031:
DOS INSTRUMENTOS MUSICALES

Otros instrumentos, otras canciones, han empezado a sonar en sus noches. Instrumentos que le parecen mucho más tranquilizadores que el acordeón y las armónicas. Instrumentos que inducen el sueño: un violonchelo, un contrabajo. Instrumentos que ella oye por primera vez: unas maracas, un laúd. Instrumentos con los que está familiarizada: un tambor kodaiko japonés, un bombo, panderetas. Y ahora que distingue unos de otros, asimila la música, algunas noches escuchándola desde el futón, otras, subiendo al Faro. Un par de veces incluso se ha quedado dormida allí, sobre las esteras de tatami, mientras ensayaban a su alrededor.

Al menos esta noche los pacientes tendrán nombre, piensa. Los nombres auténticos, si los conocen, si no, los que eligieron en su primera semana en la isla. Ella conoce muy pocos nombres porque la mayoría eran anteriores a su llegada.

Pintan los nombres de sus antepasados en Nagashima sobre fino papel *washi* cortado en cuadrados de quince centímetros, con cuatro cuadrados para cada fanal. Otros fabrican las estructuras de madera de los fanales y otros hacen las velas de cera de abeja. Los lados de papel se atan a las estructuras de madera y las velas se colocan en el interior. Tardan la mayor parte del día en acabarlo todo, y a la noche siguiente, en el último día del Festival Obon de agosto, bajan a la playa que hay al pie del acantilado al atardecer. El calor es sofocante, no sopla la menor brisa ni siquiera en la orilla y los mosquitos son voraces. Esperan a que anochezca y que las estrellas se mezclen con los puntos de luz que brillan en la isla de Shodo. Aparece un tenue resplandor naranja en la distancia. Al principio, ella cree que son los últimos vestigios del ocaso, pero al ver que no desaparece, se da cuenta de que son las luces de la ciudad de Okayama, que está a treinta kilómetros. Todos llevan cerillas, y para los que no pueden encenderlas, otros se encargan de hacerlo. Las cerillas arden, se encienden las velas de los fanales y los nombres pintados se iluminan. Sobre sus cabezas, en lo alto del acantilado, resuenan con fuerza los redobles de un gran tambor cada pocos segundos.

Ella ayuda a un par de pacientes a depositar sus fanales en el agua y luego hace lo propio con el primero de los suyos, que lleva pintado al lado: señorita Matsue, diciembre de 1946. Deja con cuidado en el agua el fanal por una paciente a la que nunca conoció, y este se aleja flotando junto con los demás, como un río sinuoso de luz que ilumina el camino a casa para los espíritus.

Coge el segundo de sus fanales y enciende la vela. Junto a ella, el señor Munakani, el antiguo oficial de la marina, prepara un fanal por la señorita Min. Ella lo espera y luego dejan juntos los dos fanales en el agua. En los costados del fanal de ella, está pintado el nombre de su tío «Jiro» y los años 1971 y 1972, cuando vio por última vez el fuego en lo alto de la montaña el día de su cumpleaños, y el año en que no lo vio por primera vez. Se queda mirando hasta que se apaga el último de los fanales, o se hunde en el mar, y solo queda el eco del tambor.

Artefacto número 2083:
Un pequeño televisor en blanco y negro

En una noche de marzo, pasa por delante del Edificio 7-C y lo oye. Lo oye, pero no puede creerlo. Está atónita. Nunca había oído nada parecido en Nagashima. Imagina cosas que tienen un sonido parecido: el chillido de un gato, quizá, ya que ha habido varios a lo largo de los años; el viento azotando los árboles, pero esto lo desecha inmediatamente; uno de los músicos imitándolo con un instrumento. El ruido se interrumpe, pero vuelve a empezar. Ella mira por la ventana y ve un resplandor gris, unos cuantos pacientes y un par de enfermeras mirando en un televisor a una madre a punto de cambiarle el pañal a un bebé que berrea. Se queda allí hasta que su aliento empaña la ventana y ya no ve el interior.

ARTEFACTO NÚMERO 2400:
PROGRAMA DE UN CONCIERTO DE LA BANDA DEL PÁJARO AZUL EN EL AUDITORIO DE LA CIUDAD DE KIOTO

Tres días antes de abandonar Nagashima por segunda vez, el señor Oyama le da la llave y ella acude por la tarde. Aún falta una hora para que anochezca, pero dentro de la habitación ovalada y sin ventanas está oscuro. Enciende la linterna y recorre las hileras de urnas blancas de izquierda a derecha. Encuentra la que pone Hombre, 27, y se asegura de que es esa, porque hay otra en la que pone lo mismo, pero está mucho más a la izquierda, en la parte que corresponde a los primeros años. Coge la urna y la mete en la bolsa que lleva consigo, cierra la puerta con llave y vuelve al Faro donde la Banda del Pájaro Azul está ensayando.

Cuando el señor Endoh, el director de la Banda del Pájaro Azul se lo pregunta, ella quiere aceptar, pero no cree que pueda hacerlo. Aún persiste en su memoria el recuerdo de aquella visita a Mushiage y las dudas que la atormentaban.

—Solo serán dos días —le dice él—, y dado que es usted nuestra mayor admiradora, nos gustaría que viniera.

Y en mayo allí está, en la ciudad que había atravesado en tren con su tío hace tantos años. «Ahora tengo cuarenta y siete, hace treinta y ocho años estuve aquí», piensa. A última hora de la mañana, está sentada en la penumbra del auditorio vacío, escuchando el ensayo. La banda parece muy pequeña sobre el escenario, no porque ella esté muy lejos, pues está sentada en la octava o novena fila, sino porque está acostumbrada a verlos tocar en el Faro, en una habitación con un tamaño diez veces menor que el escenario. Apenas escucha la música, que ha oído todas las noches una y otra vez durante los últimos años. Su pensamiento está en otro lugar, mientras ocupa la blanda butaca del Auditorio de la Ciudad de Kioto, que se sube cuando uno se levanta. Cuanto más tiempo permanece allí, menos tiempo tiene para hacer lo que ha de hacer. Algo en lo que ha estado pensando tanto que ni siquiera se da cuenta.

Y antes de saber lo que hace, antes de convencerse a sí misma de hacerlo, o de no hacerlo, antes de felicitarse, ha salido por la puerta del auditorio y está en la calle con todos los demás, con toda la gente de la ciudad, que al cabo de unos minutos sabrá quién y qué es ella, o no lo sabrá nadie. Todos o nadie, así será.

Al salir del auditorio, se protege los ojos con la mano, aunque está nublado. Entonces se da cuenta de que se ha dejado el sombrero en el asiento, el sombrero que ha llevado toda su vida, le parece, para protegerse del sol. «Pero hoy —piensa— no soy uno de ellos, no necesito sombrero ni a nadie que me ayude o me diga quién soy o lo que soy, ni lo que necesito o dejo de necesitar.» Hay una hilera de taxis en la calle, media docena.

Desde que aceptó la invitación del señor Endoh, ha estado estudiando mapas de Kioto. Pero ahora que está aquí, no puede moverse. Aquí, en el lugar exacto en el que su dedo iniciaba cada uno de sus trayectos imaginarios por la ciudad. Los empezaba todos aquí y los acababa en el mismo sitio, porque este era el lugar del mapa en el que sabía con seguridad que iba a estar. El Auditorio de la Ciudad de Kioto. Desde aquí su dedo recorría grandes distancias en un instante: al templo Heian, al pabellón Dorado, a los salones de té, al centro de la ciudad, al paseo del Filósofo.

Ahora que está aquí, no solo un dedo sobre un trozo de papel, sino toda ella, no sabe muy bien qué hacer ni hacia dónde encaminarse. Da unos pasos hacia los taxis y después se detiene. Se acerca un poco más y observa. Un hombre se dirige al primer taxi de la fila, da unos golpecitos en la ventanilla y se aparta para que la puerta se abra sola mágicamente. Ella sigue observando. Algunos taxis tienen la puerta trasera izquierda abierta, otros no. Ella espera a que se mueva el siguiente taxi y se mete en él. La puerta se cierra tan misteriosamente como se ha abierto. El conductor se vuelve hacia ella. Siente deseos de bajarse, de volver corriendo a la seguridad de las blandas butacas y a la oscuridad del auditorio, con la música a su alrededor. No sabe cómo hacerlo.

—¿Adónde?

—¿Cómo?

—¿Adónde quiere ir?

—Al paseo del Filósofo —contesta ella, soltando el primer nombre que le viene a la cabeza, aunque primero quería ir al templo Heian.

El taxi se aleja del auditorio. Al cabo de unos minutos, el conductor la mira por el espejo retrovisor y pregunta:

—¿Por qué extremo del paseo quiere empezar?

—¿Perdón?

—¿Por qué extremo? ¿Por el norte o el sur?

—El que esté más cerca.

Ella tiene los ojos clavados en la pequeña máquina que hay junto al taxista y los números que van pasando: 200... 230... 260... 290. Aprieta el pequeño bolso en el que lleva el dinero que ha ahorrado a lo largo de los años, y el que le dio el señor Shirayama antes de que se fuera.

—¿Es la primera vez que viene a la ciudad?

—Sí.

—¿De dónde es?

—De Okayama.

—¿De la parte de Bizen? Fui allí el año pasado con mi familia. A mi mujer le encanta la cerámica de Bizen.

—Soy de la parte de Oku, cerca de Bizen.

Ella desearía que el taxista dejara de hablar, pero al mismo tiempo no quiere que pare. Cuanto más hable, más cosas podría llegar a descubrir, pero también es cierto que, cuanto más habla, más cómoda se siente ella, porque no llama la atención. Quizá podría irle bien aquí, quizá podría vivir aquí. Sola. El taxi se detiene y la puerta se abre de pronto, sorprendiéndola de nuevo.

—Setecientos veinte yenes.

Ella vacila, luego coge la primera cantidad de dinero que encuentra en su bolso y se la entrega al taxista. Él le da el cambio, aprieta la pequeña máquina que tiene al lado y el 720 desaparece.

—Que disfrute de la estancia.

—Gracias.

Ella baja y el taxi se aleja. Hay un pequeño canal que discurre en la dirección contraria: el paseo del Filósofo. Jamás había oído hablar de este sitio hasta que se lo mencionó el señor Yamai cuando fue a buscar vendas y gasas limpias una de esas mañanas en que tenía la pierna infectada. Quizá el señor Yamai era de esta ciudad, no sabe bien por qué hablaban de ella, pero él dijo que fuera al paseo del Filósofo si alguna vez tenía ocasión. Le dijo que era un lugar alejado de multitudes y turistas, y ella recuerda las palabras exactamente, no porque las entendiera, sino precisamente porque no las entendía. «Es un lugar —dijo él— que despide el olor más maravilloso, el olor del pensamiento.»

Y está ahí, junto al angosto canal flanqueado de árboles, respirando hondo una vez y luego otra, y solo huele los árboles en mayo, las flores, el canal. El señor Yamai siempre había sido demasiado culto para ella, de intensa pasión por el conocimiento. En el paseo no hay mucha gente. Los que pasan por su lado no se fijan en ella. Lentamente va buscando el lugar idóneo para hacer lo que ha venido a hacer. Después de doblar la curva, no hay nadie a la vista. Saca del bolso el pequeño y aterciopelado saquito, lo abre y empieza a esparcir las cenizas sobre el canal.

—Al menos una parte de usted ha regresado a casa, señor Yamai —susurra. Algunas cenizas flotan en el agua, otras se hunden. Una enorme carpa blanca y naranja abre la boca como si las cenizas fueran comida y luego se sumerge de nuevo en el agua. Ella no se mueve de allí hasta que la lenta corriente de agua se lleva las últimas cenizas. Luego las va siguiendo hasta que una pequeña cascada por la que bajan las hace desaparecer en lugares desconocidos que a ella le están vedados.

Cuando llega al final del canal, está sedienta. Siente un gran cansancio que le sorprende. Quizá sea la inmensidad de la distancia recorrida, se dice. En Nagashima puede recorrer la isla en toda su longitud y volver, cubriendo casi toda su extensión, en una hora u hora y media. Pero aquí lleva horas paseando y solo ha recorrido el canal. Podría continuar andando el día entero y seguiría en la ciudad.

Ve a algunas personas que llevan bebidas en la mano y mira a su alrededor buscando el lugar donde las han comprado. Hay tiendas que venden camisas y souvenirs, pero no ve ninguna que venda bebidas. Entra en una de ellas, compra un mapa de la ciudad y pregunta:

—¿Dónde venden bebidas?

—En esas máquinas de ahí. —La joven señala un punto a su espalda y ella se da la vuelta y ve una máquina.

—Gracias.

Contempla las máquinas y los dibujos de vasos con nombres diversos escritos encima. Igual que antes con el taxi, espera a que alguien le demuestre lo que debe hacer. Finalmente se acerca un hombre y ella se concentra en seguir todos los pasos: dinero en el orificio, apretar un botón, abrir la puertecita, retirar la bebida. Saca entonces una moneda del monedero, la mete en la máquina, y cuando esta desaparece, aprieta el primer botón de la izquierda, desliza la puertecita de plástico para abrirla, saca el vaso y da un salto cuando el líquido le salpica la mano. Se agacha para mirar en el interior de la máquina y ve que está saliendo líquido. Recoge el vaso azul que ha dejado caer, mira a su alrededor para ver si alguien la está observando, y como le parece que nadie la mira, saca otra moneda, la mete en la máquina, escucha de nuevo cómo cae y luego aprieta el mismo botón, pero esta vez no abre la puertecita enseguida, sino que espera mucho rato, hasta que la mujer que hay detrás de ella le dice que ya ha acabado, para sacar el vaso. Desliza entonces la puertecita, saca el vaso y se le derrama un poco de líquido en la mano.

La otra mujer realiza todos los pasos en la máquina con una soltura que a ella le hace sentirse torpe, ridícula, pero también victoriosa. Bebe un sorbo del líquido negro y casi se atraganta al notarlo muy dulce; no está segura de que pueda acabárselo. Hay un banco vacío y ella se sienta, pensando en la bebida que tiene en la mano y en si quiere o puede probarla otra vez. Sabe casi como el amargo azúcar negro que probó una vez siendo niña. Su padre le había dicho que había que acostumbrarse al sabor. Se dirige a los lavabos públicos, tira el resto de la bebida en el lavabo y echa el vaso a la basura.

Por los mapas que había examinado en Nagashima, sabe que no está muy lejos del distrito de Higashiyama, con sus antiguos salones de té, sus calles y edificios de otra época. Despliega el mapa que ha comprado, busca el punto en el que se encuentra y lo señala con el dedo. Higashiyama está a una longitud de medio dedo en el mapa. Recorre la ruta que ha seguido andando, comprueba que es igual de larga, o quizá un poco menos, y decide ir paseando.

Se sienta en las esteras de tatami con las piernas dobladas bajo el cuerpo, al estilo tradicional. La mujer del hermoso quimono azul marino deposita frente a ella la bandeja con el espeso té verde en el cuenco y los pastelillos de soja. El local está inmaculado, la decoración es sencilla, pero elegante: jarrones de formas diversas, arreglos florales de varios tipos, una estantería para exponer los cuencos de té y las tazas. Ella se siente torpe, basta. El té es bueno, amargo, y el pastelillo de soja supone un delicioso equilibrio.

—¿Qué le parece Kioto?

Le pilla desprevenida el hecho de que la mujer sepa que es una visitante, aunque le parece que debe de ser bastante obvio.

—Es maravillosa. He estado en el paseo del Filósofo esta mañana.

—Oh, es un hermoso lugar. Yo voy allí a menudo, a veces por la tarde. ¿Cuánto tiempo estará en la ciudad?

—Solo dos días. Tengo que volver al trabajo.

—¿A qué se dedica usted?

—Soy enfermera en una clínica de rehabilitación. Fui buscadora de perlas hasta que tuve que dejarlo.

—¿Es usted de la península de Shima?

—No, del mar Interior de Seto.

—¿No da miedo bucear?

—Todo lo contrario. Cuando uno está en el fondo del mar sin nadie más alrededor, siente una paz inmensa. Un amigo mío me habló una vez sobre el paseo del Filósofo y me dijo que le encantaba el olor a pensamiento que se respiraba allí. Yo no he olido nada esta mañana, pero creo que comprendo lo que él quería decir. Y así es como se siente uno al bucear.

La mujer se disculpa un momento. Ella sigue sorbiendo su té y reflexiona con asombro sobre el modo en que se ha creado una vida, una historia nueva, en tan poco tiempo. Qué fácil le ha resultado hablar con la mujer. Puede ser y decir lo que quiera, pero permanece muy próxima a lo que es, no quiere alejarse demasiado de sí misma.

Mientras la mujer sigue en el mostrador hablando con otro cliente, ella apura su té y le da el último mordisco al pastelillo. Mete la mano en el bolsillo izquierdo, saca una moneda y la deposita sobre la bandeja lacada con el cuenco de té vacío. Está segura de que la mujer verá la moneda ovalada de un sen sobre la bandeja. El anverso: negro con borde dorado, un agujero en el medio y la cantidad junto con las palabras Leprosería Nagashima escritas en kanji.

Se levanta y se pone los zapatos, abre la puerta corredera y le da las gracias a la mujer, felicitándola por el té, luego sale y cierra la puerta.

Está de vuelta en el auditorio a tiempo para el concierto. Su asiento se encuentra en la zona central, junto al pasillo, a cinco filas del escenario.

Saluda a las dos mujeres que están sentadas a su izquierda con un «buenas tardes», querría hablar con ellas, pero el maestro de ceremonias ha salido ya al escenario. Le resulta difícil quedarse quieta y limitarse a escuchar, se siente llena de energía y está encantada por la conversación que ha mantenido en el taxi de camino al auditorio. Y en el templo Heian ha hecho preguntas de las que ya conocía la respuesta, solo por hablar. Al acomodarse en el asiento, golpea el brazo de la mujer que tiene al lado.

—Lo siento —dice para disculparse.

—No pasa nada —dice la mujer, sonriendo.

Cuando el público aplaude al maestro de ceremonias, ella lo imita. Escucha lo que dice, pero siente más curiosidad por la gente que tiene a su alrededor. Suenan más aplausos y ella aplaude también. Se abre el telón y allí están los miembros de la Banda del Pájaro Azul. Un aplauso cortés del público. Cuando la banda empieza a tocar, ella se sumerge en el recuerdo de la mañana y la tarde y sigue ahí hasta que la voz aguda de una mujer la devuelve bruscamente a la quinta fila del auditorio. Abre el programa y ve que la mujer del escenario es una famosa actriz, que se muestra muy tímida cuando el maestro de ceremonias habla con ella y responde con una perfecta voz femenina. Las dos mujeres que se sientan a su lado ríen con todo lo que dice la actriz, totalmente embelesadas. Así que por eso han venido, piensa ella, eso es lo que las ha traído aquí, esa actriz famosa, no la Banda del Pájaro Azul.

Se siente aliviada cuando el maestro de ceremonias termina de hablar con la actriz y se cierra el telón. Está a punto de levantarse para dejar que salgan las dos señoras, cuando ve al señor Endoh acercarse a ella. No quiere hablar con él, consciente de que, si lo ven los demás, todos se darán cuenta de que ella acompaña a los de la banda. El señor Endoh llega a su altura antes de que las señoras hayan pasado.

—¿Dónde estaba a la hora de comer? —pregunta.

Las señoras intentan pasar, pero el señor Endoh bloquea la fila.

—Visitando la ciudad.

—¿Qué ha visto?

—Los lugares típicos. El pabellón Dorado, el templo Heian, un salón de té.

—¿Qué le parece el concierto?

—Es estupendo.

—¿Quiere venir a los camerinos y conocer a la señorita Sugijima?

—No. No, gracias. Quizá después del concierto.

—De acuerdo, señorita Fuji. Nos vemos después.

Por fin puede salir al pasillo y permitir que salgan las dos mujeres.

—Perdone. ¿Podría vigilar nuestros programas?

—Por supuesto —responde ella, mirando hacia los asientos, donde descansan los programas sobre los brazos.

La segunda parte del concierto es como un borrón. Sabe que no ha tenido que levantarse para dejar que las dos señoras vuelvan a ocupar sus asientos.

El concierto ha terminado hace rato, los conserjes barren el escenario y los programas de las dos señoras siguen sobre los brazos de las butacas.

Está de vuelta en Nagashima como si nada hubiera ocurrido. Como si no hubiera ido nunca a Kioto y se lo hubiera imaginado todo, como si hubiera sido únicamente otro ensayo en el Faro, como un sueño. Pero hay una cosa que le recuerda a cada momento que sí fue a Kioto en realidad: la seguridad de saber que podría sobrevivir fuera de la isla. Sabe que su supervivencia dependería de una sola cosa: de estar sola. Lo sabe y lleva consigo esa conciencia durante los quince años siguientes.

La Banda del Pájaro Azul hace otros viajes: a Nagoya, Osaka, Tokio, Kanazawa, Okayama. Aunque el señor Endoh le pide siempre que los acompañe, ella se disculpa con cortesía, y últimamente, casi nunca oye los ensayos nocturnos, ni siquiera cuando el viento sopla del sudeste.

ARTEFACTO NÚMERO 1446:
UN CRISANTEMO SECO

La hija, Satomi, que ha terminado los estudios de enfermería, comparte la afición de su madre por la jardinería. Juntas han empezado a crear un pequeño jardín de flores delante de su casa, en Mushiage.

En el pueblo, van a ver al mejor florista, el señor Satoh. A la hija le encantan los crisantemos y este otoño el señor Satoh tiene unos preciosos.

—En los últimos años, estos han ganado muchos premios —les dice.

Aunque es evidente que esos son más bonitos que los otros, el precio es el mismo. Compran dos de cada color y se los llevan, y los colocan frente a la casa, a lo largo del estrecho sendero que lleva hasta la puerta, para que los vean todos los que vayan de visita. Los blancos y púrpuras y amarillos son vivos y la chica pasa largos ratos contemplándolos, ensimismada en su belleza. Así que sufre una gran decepción cuando, apenas tres días después de comprarlos, empiezan ya a marchitarse. Los riega esa tercera mañana, intenta sujetarlos con unos finos palos metálicos, pero al día siguiente se han marchitado del todo. Al día siguiente, Satomi los envuelve y se los lleva al señor Satoh. Él se ofrece a darle otros, pero los que escoge no son tan hermosos como los que ellas habían elegido primero.

—Me gustan más esos, como los que había comprado —dice Satomi.

—Estos también son bonitos.

—No tanto como esos.

—Pero estos le durarán tres veces más.

—¿Por qué?

Él no responde y se dedica a envolver las flores y a atender a otro cliente que ha comprado patatas y sansai.* Cuando el otro cliente se va, el señor Satoh se acerca y le da las flores.

—No le cobraré nada, por supuesto —dice.

—Gracias.

Él ha debido percibir que sigue decepcionada, porque se acerca más aún y le dice en voz baja:

—Su madre y usted son buenas clientas, así que le confiaré lo que no diría a nadie más. Las flores que compraron el otro día procedían de allá —explica, señalando hacia el canal.

Al principio, ella no entiende lo que dice y cree que señala la isla de Shikoku, que está a unos treinta kilómetros. Luego, al ver la cara del señor Satoh, se da cuenta de que no se refiere a Shikoku, sino a Nagashima.

—¿De Nagashima?

—Sí.

—¿Por qué compra flores de allí?

—Como ve, son las flores más hermosas. Pero —baja más

* Literalmente, «hortalizas de montaña», brotes de bambú o helechos, por ejemplo. (N. de la T.)

la voz cuando se acerca un cliente—, el caso es que tenemos que rociarlas con desinfectante antes de venderlas, y seguramente por eso se mueren antes.

Satomi aprieta la nueva tanda de crisantemos contra sí. El señor Satoh se aleja, pone unos cuantos pepinos y tomates en una bolsa y se la da a ella.

—Esto va incluido.

—Gracias.

Satomi vuelve a casa con las flores, y tal como le había dicho el señor Satoh, le duran mucho más tiempo.

ARTEFACTO NÚMERO 2388:
PROGRAMA DE TRATAMIENTOS DIARIOS

Algunos días no pone los pies en la clínica más que para recoger o dejar una copia de los gráficos de los pacientes. No recuerda la última vez que ha pasado una semana entera trabajando en la clínica. No recuerda la última vez que se practicó un aborto. Recuerda a quién fue, la señorita Inaka, pero no está segura de cuándo.

El único día que cambia su rutina es el primer día de mes. Los gráficos de los edificios que están a su cargo están colgados en el almacén junto a las medicinas. Llena su carrito, en cuyo estante superior coloca las medicinas y el gráfico:

Multibacilar (dosis para adultos):
A. Tratamiento mensual: Día 1
    Rifampicina 600 mg
    Clofazimina 300 mg
    Dapsone 100

B. Tratamiento diario: Días 2-28
  Clofazimina 50 mg
  Dapsone 100 mg
  Duración del tratamiento: 12 o 24 meses.

En el estante inferior del carrito pone las medicinas y el gráfico:

  Paucibacilar (dosis para adultos):
  A. Tratamiento mensual: Día 1
    Rifampicina 600 mg
    Dapsone 100
  B. Tratamiento diario: Días 2-28
    Dapsone 100 mg
    Duración del tratamiento: 6 meses.

Las mañanas las pasa en los edificios A-4 y A-3; las tardes en A-2 y A-1.

En el Edificio A-1, por la tarde, retrasándolo todo lo que puede, pasa de la habitación 2048 a la habitación 2016 que, de haber seguido el orden correcto indicado en el gráfico, debería visitar hacia las 2.20, en lugar de a las 3.30. Llama a la puerta y una voz responde:

—Entre, señorita Fuji.

Ella abre la puerta corredera y encuentra al señor Shikagawa sentado en el suelo junto a una pequeña mesa, con el casete y varias cintas encima del aparato.

—Buenas tardes, señor Shikagawa.

—Ya le he dicho que no necesita llamar.

—Sé que me lo dice todos los días, pero yo seguiré llamando.

—Es usted una persona muy terca, señorita Fuji.

—Igual que usted.

El señor Shikagawa junta la parte inferior de las palmas de las manos, riendo, y se inclina sobre la mesa para apagar el casete. Por muchas veces que lo haya visto, y lleva cerca de un año entrando casi a diario en la habitación, la señorita Fuji lo contempla como si fuera la primera vez, igual que ahora.

Él aprieta los lados del casete con las muñecas, dejando que las manos mutiladas sobresalgan en un ángulo de cuarenta y cinco grados y apoyando los codos en la mesa. Entonces se inclina para acercar la boca al casete, saca la lengua y recorre los botones con la punta de la lengua: *play, fast forward, reverse, record*. Se detiene cuando llega al botón de *stop*, lo aprieta con la punta de la lengua y apaga el casete. Aunque ella sabe que va a oír un chasquido, el sonido la sobresalta.

Ella se ha preciado siempre de no demostrar compasión ni sentir pena por los pacientes, pero con el señor Shikagawa no puede evitar cada tarde, al ver esto, que se apoderen de ella una serie de emociones que van del asombro al orgullo y la pena.

—No hay mucho que hacer hoy, solo la cinta —dice él—. Hoy ha sido uno de esos días de pensar sobre todo. Algunas personas dicen que son días perdidos, pero son necesarios, quizá los más necesarios.

—No tiene por qué explicarme nada, señor Shikagawa. Recuerdo que mi madre me decía que era una perezosa, que lo único que hacía era bucear un rato por la mañana. Ella no lo comprendía. No sabía lo que costaba ser buceadora, igual que yo no entiendo las cosas referentes a la escritura.

Se dirige al pequeño armario de la habitación y saca la máquina de escribir para colocarla junto al casete. Después de limpiar la saliva del aparato, aprieta el botón de rebobinado y escucha el zumbido, pensando en lo increíbles que son estos aparatos que permiten poner la voz de una persona en una cinta tan fina. Se pone nerviosa solo con pensarlo.

Aprieta el botón para empezar. Se oyen unos ruidos. Sabe que son del señor Shikagawa moviéndose y preparándolo todo. Ahora es capaz de distinguir los diferentes ruidos cuando él cambia de posición o está bebiendo. Cuando él hace una pausa más larga o se toma un descanso, se oye cómo se acerca al aparato, su aliento, mientras busca con la lengua el botón para pararlo. Son ruidos bruscos. Hoy solo ha llenado una cara de la cinta de sesenta minutos. Algunos días hay dos cintas, pero tal como ha explicado el señor Shikagawa, hoy ha sido un día de pensar.

Las primeras palabras que se oyen son: clang, bang, estruendo, boom, repicar, tocar, tañer. Ella las teclea en la máquina y rebobina un poco la cinta para asegurarse de que las ha transcrito correctamente. Después viene un minuto de silencio y luego las palabras: reverberar y gong. Se repite reverberar dos veces más.

—Por favor, escriba las palabras eco y duplicar.

La señorita Fuji añade ambas a la lista, sabiendo que es así cómo el señor Shikagawa busca la palabra adecuada, que la poesía tanka en su mayor parte es escrita, que él juega con la combinación de sílabas y sonidos y emociones hasta que encajan perfectamente en el poema de treinta y una sílabas, con versos de cinco-siete-cinco-siete-siete. Hay otro grupo de palabras: parabólico, elíptico, media luna, cuenco, paraguas.

La señorita Fuji repite la rutina de encender y apagar el casete, teclear y rebobinar, hasta que oye su nombre y comprende que ha llegado al final del trabajo del día.

«—Entre, señorita Fuji.

»—Buenas tardes, señor Shikagawa.

»—Ya le he dicho que no necesita llamar.

»—Sé que me lo dice todos los días, pero yo seguiré llamando.

»—Es usted una persona muy terca, señorita Fuji.

»—Igual que usted.»

Y luego oye el ruido que hace el señor Shikagawa al deslizarse por el suelo y el brusco chasquido cuando apaga el casete.

Mientras la cinta se rebobina, el señor Shikagawa le pide que le lea las palabras que ha escrito a máquina.

—Clang, bang, estruendo, boom, repicar, tocar, tañer, reverberar, gong, eco, duplicado.

—Táchelas todas excepto tocar, reverberar, eco y duplicar.

Ella lee la lista un par de veces más, y cuando termina, ha tachado más de la mitad de las palabras. El señor Shikagawa parece satisfecho y junta la parte inferior de las palmas de las manos varias veces. Ahora la señorita Fuji está segura de que está satisfecho con su día de trabajo.

—Es maravilloso, señorita Fuji. Gracias por su ayuda.

—De nada. ¿Necesita algo más?

—No, gracias, voy a descansar un rato antes de la cena. Nos vemos mañana.

—De acuerdo, señor Shikagawa.

Ella se levanta, guarda la máquina de escribir en el armario, y desplaza la pequeña mesa con el casete hacia el rincón para que el señor Shikagawa no tropiece con ella. Escribe la fecha en la cinta, la mete en la caja de plástico, y la coloca en el extremo derecho del estante atiborrado de cintas de más de un año, las palabras de más de un año.

Artefacto número 1454:
Una carta

La señorita Fuji tiene en sus manos la carta que había sobre la mesa junto al casete del señor Shikagawa.

—Es de Tokio y tiene el sello del Palacio Imperial en el dorso.

—Les envié uno de mis poemas para el Concurso de Tanka de Año Nuevo.

—¿La abro?

—A menos que esté en Braille, yo no puedo hacer gran cosa con ella.

La señorita Fuji la abre con cuidado para no romper el sello. La carta es breve. La vuelve a mirar.

—¿Me la va a leer?

—Sí, perdone.

No está segura de si debe empezar con lo positivo o con lo negativo.

—Dígame primero lo malo, así sabré que lo que sigue no puede empeorar.

—Dice que no puede ir al Palacio Imperial a causa de su enfermedad. Dependería de la ayuda de otra persona y no puede presentarse así delante del emperador.

—Eso quiere decir que la parte buena es que han seleccionado mi poema.

—Sí.

El señor Shikagawa junta las palmas de las manos.

—¿No está enfadado?

—¿Por qué habría de estarlo?

—Porque le niegan la oportunidad de ir allí.

—Han seleccionado mi obra, han reconocido su valor. Eso es lo que importa, señorita Fuji. Mis palabras han significado algo para alguien.

—Pero deberían compartirse con el resto del país.

—Eso no es necesario. Lo sabemos nosotros.

Ella no puede dejarlo así. Se pasa la mayor parte de la noche redactando una carta, deseando que el señor Yamai o la señorita Min estuvieran allí, ellos que tenían tanta facilidad de palabra. Habrían escrito la carta en un momento.

Tarda tres noches en acabarla y unos cuantos días más en armarse de valor para enviarla. No espera respuesta y no recibe ninguna. Así que escribe otra carta igual que la primera y esta vez no espera una semana para enviarla, sino que la envía el mismo día. Y manda una carta cada semana, de modo que al acabar el mes ya ha enviado cinco. Silencio.

Está apuntalando las tomateras en los huertos que hay cerca del edificio de la administración, cuando ve salir a un hombre. Antes de poder convencerse a sí misma de lo contrario, se acerca a él, se quita los guantes y habla.

—Hola, soy una paciente. ¿Podría hablar con usted un momento?

—Por supuesto. Soy el señor Takamura, representante del undécimo distrito. —Saca una tarjeta de visita del bolsillo y se la tiende.

Ella le habla de las cartas que ha enviado y de lo que ha ocurrido con el señor Shikagawa, esperando que no la vean hablando con el señor Takamura desde las oficinas. Él la escucha, asiente varias veces y respira hondo.

—No creo que yo pueda hacer nada al respecto.

—Me lo imaginaba. Pero he pensado que si se corrigiera esta situación, o al menos se revisara este caso, muchos de los que vivimos aquí tendríamos una opinión muy favorable de usted. Y ahora, claro está, hemos recuperado el derecho a votar.

Él la mira un segundo y luego echa un breve vistazo al mar Interior, que queda a su espalda. Cuando se da la vuelta y le pregunta cómo se llama, ella comprende que ha conseguido despertar su sentido de la oportunidad.

Cuatro días más tarde recibe dos cartas certificadas. La primera es del Palacio Imperial y está escrita por el secretario del emperador, que es el encargado del concurso de poesía tanka de Año Nuevo. En ella se disculpa profusamente, afirmando que no han recibido ninguna de sus cartas y que debe de haberse producido una confusión con respecto al poema de Shikagawa. La carta dice que, a causa de su incapacidad, el señor Shikagawa no puede presentarse como es debido ante el emperador y no puede ser invitado al Palacio Imperial, pero recibirían con el mayor placer a cualquier otra persona que fuera a leer el poema por él.

La segunda carta certificada es una nota.

«Me alegro de haberles podido ser de ayuda.»

La nota la firma el diputado Takamura.

ARTEFACTO NÚMERO 3002:

UN ALTAVOZ DE TELÉFONO

El señor Shikagawa le dice el número y ella marca los diez dígitos. Luego aprieta el botón del altavoz, vuelve a colgar el auricular y ambos escuchan los pitidos de llamada. Uno. Dos. Cuando está sonando el tercero, se escucha un tenue «¿Diga?» por el altavoz.

—¿Kiku? —responde el señor Shikagawa con gran nerviosismo, moviéndose sin parar.

—¿Diga? ¿Quién es?

—Masahiro —dice él. Es la primera vez que la señorita Fuji oye su nombre auténtico. Él siempre se había negado a decirle cómo se llamaba antes de llegar a Nagashima. Y ahora lo ha oído, pero no está segura de que la persona del otro lado del hilo lo haya entendido; recuerda que también a ella le costaba mucho y que tenía que concentrarse para entenderle, para seguir la conversación.

Sin pensárselo dos veces, se acerca al altavoz para hablar.

—Kiku, soy la señorita Fuji de la Leprosería de Nagashima. Le llama su hermano para decir que han elegido su poema para que lo lean en el Palacio Imperial en Año Nuevo.

Sale entonces un sonoro zumbido por el altavoz y la señorita Fuji mira a su alrededor, preguntándose qué ha hecho para cortar la comunicación. Ve que el señor Shikagawa se aleja del teléfono, deslizando el cuerpo por el suelo, y choca con una mesa sin notarlo. El teléfono sigue zumbando y ella busca el botón para apagarlo. Después de apretar dos o tres botones distintos, encuentra el correcto y el zumbido cesa.

Casi todos los días van allí y se habla del tema. Ella escucha y de vez en cuando formula una pregunta para fingir interés, pero nunca va. Y durante los dos años y medio que dura la construcción del puente de ciento ochenta metros entre Nagashima y la otra orilla, sabe de él, pero no va a verlo. No lo hace porque el único lugar de la isla desde donde se puede ver el puente es la playa pedregosa que se adentra en el canal, a la que ella acudía para saludar a los niños.

No recuerda haber visto nunca al señor Shirayama tan emocionado, tan entusiasmado con algo.

—¿No lo ve, señorita Fuji? Esto demuestra que empiezan a aceptarnos, que empiezan a comprendernos en el exterior.

—Lo mismo dijo cuando la Banda del Pájaro Azul dio aquellos conciertos. ¿Cuándo fue? ¿Y a usted qué más le da, si ni siquiera quiere salir de aquí?

—Es una victoria, todo son pequeñas victorias. Por eso es importante, señorita Fuji.

—Todos estamos ya demasiado viejos para pequeñas victorias. Además, un puente no va a cambiar la opinión de la gente sobre nosotros. Con puente o sin él, todo seguirá igual.

—Un pequeño paso hacia delante es mejor que un paso hacia atrás.

Hasta este día de otoño, el señor Shirayama ha mantenido una actitud positiva con respecto al puente y a lo que podría significar. Pero cuando ella va a verlo, se da cuenta de que alguna cosa ha quebrantado su espíritu.

—¿Qué ha ocurrido, señor Shirayama?

Él tiene la vista fija en el mar Interior y la señorita Fuji sabe lo que está mirando. El sendero de la isla de la Mano está abierto y ellos cruzan al otro lado, pero no suben la escalera que lleva al pequeño altar donde están las urnas de los nonatos, sino que se sientan en los escalones bajo la enorme puerta *torii* y allí él se lo dice.

—Funcionarios del Ministerio de Sanidad han decidido poner una barrera en nuestro lado del puente. Empezarán a construirla esta semana. No estaba previsto hacerla en los planos originales. Iba todo tan bien, señorita Fuji.

—No deje que lo hagan.

—Ya está decidido. El funcionario dice que la barrera servirá para proteger a los pacientes. Dice que la isla es un lugar para tratar a los pacientes y que aquí la gente y los coches no tienen nada que hacer y no se les debe permitir la entrada. Pero, señorita Fuji, ¿no se trataba acaso de que el puente nos uniera, de que hubiera un intercambio libre con la sociedad? Una barrera es tan mala como el canal. ¿Para qué construyen el puente entonces, para aparentar?

Ella quisiera gritarle, pero se queda callada mirando fijamente el sendero que han cruzado y que lleva de vuelta a Nagashima, y el camino de tierra que ha recorrido miles de veces, que sabe que recorrerá miles de veces más en los años venideros.

—No deje que lo hagan, señor Shirayama.

El extremo occidental de Nagashima forma una pronunciada pendiente de setenta metros con pinos y bambú, y más arriba, otros ochocientos metros de pendiente más suave con un denso bosque. Unas cuantas semanas antes de que empiecen a talar árboles para hacer una carretera que atraviese la zona, el señor Shirayama y otros seis pacientes se abren paso hasta la cima y llegan al lugar donde se está construyendo el puente, sucios y mojados. Los haces de luz de sus linternas iluminan el terreno y su reflejo llega hasta las aguas del canal. Al otro lado del puente, en la orilla de Mushiage, unas luces rojas intermitentes lanzan destellos de aviso. Sobre sus cabezas se cierne la silueta de una grúa gigantesca, el puente gris en forma de arco se ha colocado hace unas semanas; debajo, aparte de las grandes vigas que lo sujetan, no hay nada más que el canal, en una caída de doce metros.

También está colocada la barrera, similar a las que colocan en los pasos a nivel, una barra larga que puede levantarse para permitir el paso a los coches. Ya la han afianzado con cemento.

—No sé cómo vamos a quitar esta cosa. Es más grande de lo que pensaba —dice el señor Shirayama, sujetando la linterna bajo el brazo para iluminar la barrera.

Durante un rato se quedan mirando sin decir nada.

—Bueno, deberíamos descansar un poco antes de que lleguen los trabajadores —dice el señor Shirayama.

—¿Descansar?

—Sí. Si nosotros no podemos sacarla, tendrán que ser ellos los que la saquen. —El señor Shirayama coge el rollo de cuerda que lleva colgado del hombro, lo deja en el suelo y se sienta encima apoyando la espalda en uno de los postes de la barrera. Los demás hacen lo mismo, y así se quedan, algunos con los ojos cerrados, durmiendo las dos horas siguientes hasta que las primeras luces del amanecer se filtran desde el mar Interior.

Al principio, al ver que no está en su habitación, la señorita Fuji piensa que quizá se haya ido a la isla de la Mano. Pero cuando revisa la tabla horaria de las mareas y comprueba que no habrá marea baja hasta última hora de la tarde, se dirige al cobertizo donde él trabaja. No lo encuentra allí. El cobertizo está tan ordenado como si no hubiera trabajado en todo el día, pero en realidad él siempre lo tiene así. Recorre entonces los poquísimos lugares en los que podría estar el señor Shirayama a las dos de la tarde. Las únicas opciones son: los huertos, donde ella sabe casi con toda seguridad que no estará porque él le dijo que ya habían acabado la recolección la semana anterior, y el Faro, que él había convertido en almacén de cosas inservibles desde que la Banda del Pájaro Azul dejó de tocar hace años.

Después de comprobar ambos lugares sin encontrarlo, crece la inquietud de la señorita Fuji. Sus pensamientos van del señor Yamai al señor Nogami, a los que se llevaron a la fuerza de Nagashima por pensar y actuar de acuerdo con sus ideas, por intentar cambiar las normas, y también piensa en su propia implicación entonces y en que ahora es ella la que le ha dicho al señor Shirayama que no les permita poner la barrera.

Ahora no, se dice a sí misma, saliendo del Faro. Desciende por la colina y pasa por delante de la isla de la Mano. No se atreverían a hacer nada ahora con todos los cambios que ha habido por aquí y el nuevo aspecto que quieren darle a este lugar.

Entonces piensa en el puente y que quizá el señor Shirayama esté allí. Ella no ha ido nunca, sabe que algunos pacientes han ido a ver los trabajos, pero ella no desea verlo.

Asciende por la empinada cuesta del lado occidental de la isla y atraviesa luego los ochocientos metros de espeso bosque. Le sorprende y molesta encontrarse sin resuello después de una ascensión y un paseo tan cortos. Cuando está a punto de mirar hacia donde se construye el puente, desvía la vista para fijarla en el suelo. No mira, se niega a ver lo que solo conocía de oídas: la enorme grúa, el arco del puente en el que están trabajando los hombres de los cascos.

El señor Shirayama y los demás pacientes se han atado a los postes de la barrera. Aunque la señorita Fuji ya sabe lo que ocurre, su reacción inicial es de desatarlos, de ayudarles.

—¿Qué tal se encuentra, señor Shirayama? —pregunta, acercándose a él.

—Me siento increíblemente vivo. He dormido así un par de horas.

—¿Qué va a pasar ahora?

—Se ha convocado el grupo para los derechos de los enfermos en Tokio. Creo que esta vez vamos a ganar, señorita Fuji.

—¿Por qué está tan seguro?

—¿Le parece que a los obreros de la construcción les importa si hay una barrera o no? Lo único que quieren es acabar el puente. Fueron los funcionarios de Sanidad los que quisieron poner esto aquí. Además, no creo que ninguno de los capataces quiera acercarse a nosotros. Cuando nos dirigen la palabra lo hacen desde lejos.

—Bueno, señor Shirayama, la historia no está de nuestra parte en este tipo de cosas.

—La historia está cambiando. Como le he dicho muchas veces, señorita Fuji, hay que ir paso a paso.

Artefacto número 1497:
Un altavoz

Es como si de pronto, una mañana, las voces retumbaran en todas partes. Durante los dos últimos meses recuerda haber visto cómo levantaban postes a diestro y siniestro, pero no le había prestado demasiada atención, pues en el último año han cambiado muchas cosas. La carretera de cemento y la acera en la que ella se encuentra ahora mismo le dejan las piernas y los riñones doloridos. Intenta caminar por la hierba o la tierra siempre que puede, pero hay mucho cemento y muy poco de lo otro. Solo si baja más allá de los huertos encuentra una buena extensión de tierra. Las voces la siguen incluso hasta allí abajo.

«Ayer, la Bolsa de Tokio cerró a cuarenta y tres puntos y el Índice Nikkei subió seis puntos y medio. Hoy en la región de Kanto los cielos estarán nublados y las máximas alcanzarán los veinte grados; Kansai y la región occidental de Japón tendrán cielos cubiertos y temperaturas máximas de veintidós grados. Las posibilidades de precipitación son del veinte por ciento.»

Cada diez metros hay un altavoz, y las palabras del locutor de la emisora NHK la siguen allá donde vaya. Cuando se acerca a uno de los altavoces, el volumen le resulta insoportable; cuando se aleja, la voz se atenúa, pero cuando ya cree que la dejará tranquila, empieza a oír el siguiente altavoz y el volumen aumenta hasta hacerse de nuevo insufrible, y todo vuelve a repetirse. En cualquier dirección, siempre hay otro altavoz.

«Buenos días.» La voz profunda del señor Enoyama, el joven miembro del personal de Nagashima, interrumpe la música que acaba de empezar a sonar. «Disculpen la interrupción, pero debo hacer dos anuncios esta mañana. En primer lugar, el menú de hoy consistirá en sopa miso, rábanos en vinagre, tai* y arroz. Las ofertas especiales del centro comercial son bananas, uvas, limones y berenjenas. No olviden que el próximo sábado por la tarde, de la una a las cinco, se celebrará nuestra muestra de artesanía de primavera delante del centro comercial.» La música vuelve en medio de la frase y la vida fuera de Nagashima continúa, y continuará hasta que los altavoces se apaguen a las nueve de la noche, momento en el que la isla recobrará su estado normal hasta las seis de la mañana siguiente.

---

* Nombre japonés del *Lutjanus campechanus*, pez rojo muy apreciado en la cocina japonesa. *(N. de la T.)*

Artefacto número 0908:

Cuatro kilos de pintura negra

En cada uno de los edificios de apartamentos de una planta, edificios de cemento recién construidos y encalados, han pintado nombres de árboles y flores en la esquina superior derecha: Pino, Bosque, Bambú, Siemprevivas, Cinamomo, Cálamo, Laurel, Cornejo, Parasol Chino, Lirio. Y nombres de pájaros: Gaviota, Ánade Picopinto, Bulbul, Garza, Pichón, Faisán, Tórtola, Pájaro Sombrilla, Canario, Petirrojo, Ruiseñor, Codorniz, Sinsonte, Golondrina, Ganso, Halcón, Martín Pescador, Gorrión de Java.

Artefacto número 1133:

Una fotografía de la ceremonia

de inauguración del puente

Es un día de mayo soleado y placentero, con poca humedad, y el paseo de un kilómetro y medio resulta agradable. Ahora ya no hay que subir por la empinada cuesta de bambú y cedros, se ha construido una carretera pavimentada que llega hasta el puente. A la señorita Fuji le sorprende su propia emoción, dado que en los dos años que han tardado en construirlo, el puente no significaba prácticamente nada para ella.

Pero ahí está al fin y todo el mundo va a ir a verlo. Junto a ella camina el señor Shirayama y una enfermera empuja la silla de ruedas del señor Shikagawa.

Cuando llegan al puente, ella escucha mientras el señor Shirayama da explicaciones al señor Shikagawa.

—Es gris y tiene forma de media luna, de unos dieciocho metros de altura, siete metros de anchura y ciento ochenta metros de longitud. Debajo está el canal a doce metros de distancia. Desde donde estamos ahora, se ve una pequeña montaña al otro lado, y a la derecha, grupos de casas en el lado sur del pueblo de Mushiage. Es un puente muy hermoso.

La señorita Fuji los deja solos, pasa por donde habían colocado la barrera y pisa el puente. Allí se han congregado muchos pacientes, enfermeras, miembros del personal y hombres trajeados a los que ella no conoce. Fuera de la multitud, apoya los brazos en la barandilla y contempla el canal que discurre muy lentamente por debajo. Se ve muy lejano. Parece que está a mucho más de doce metros, piensa. Yo me sumergía casi al doble de esa profundidad y tardaba un minuto en llegar al fondo, pero aquí, en el aire, sin el agua para sostenerme, tardaría unos segundos en cubrir esa distancia.

Intenta recuperar la emoción que sentía hace apenas unos minutos y camina por el puente alejándose del señor Shirayama, porque no quiere estropearle aquel momento de felicidad que tanto se merece. «Que todos nos merecemos», piensa. «Pero ¿por qué yo no siento esa alegría que sienten los demás, esta victoria?» Sigue caminando por entre la gente, saludando con la cabeza a todos los que reconoce. Se da la vuelta y regresa hacia el lado de Nagashima. Divisa al señor Shirayama sonriendo en medio de una multitud de personas. Vuelve a cruzar por donde antes habían colocado la barrera sin ningún impedimento; ya no queda siquiera la huella que habían dejado al arrancarla.

La ceremonia de inauguración no ha hecho más que empezar cuando ella enfila la sinuosa carretera de cemento a través de pinos y bambú, y sigue por ella hasta llegar al punto desde el que se ve el mar Interior.

Artefacto número 2940:

Una copia del horario del microbús de Nagashima

A ella sigue gustándole andar, pero hay días en que no se siente con fuerzas y a veces utiliza el microbús.

Laborables: 9.00, 10.00, 11.00, 13.00, 14.00, 15.00, 16.00. *Fines de semana y festivos:* 9.00, 10.30, 14.00, 16.00. Centro de Salud Chiryto – Mutsumishita – Baños Seibu – Hiiragi – Parque Heisei – Enoki – Baños Namihana – Oyama San cho – Auditorio Shinso – Faro – Edificio 7C – Centro Comercial – Auditorio Fukushi – Iglesia Rosario – Edificio de Apartamentos Akebono – Edificio A-13 – Baños Nozomi – Residencia Hagi Este – Residencia Soyogo.

Artefacto número 0954:

Una aguja

Agujas. Un eco del pasado. El sonido de las agujas al chocar contra la piedra de afilar, las tres o cuatro enfermeras afilando las agujas, un sonido casi constante.

Los médicos buscan explicaciones: sangre, posiblemente sexo, madre infectada al feto, agujas contaminadas. No se necesitan explicaciones. Ella tiene conocimientos sobre la Hepatitis C por los años en que trabajó como enfermera en la Clínica B. Sabe que suele ir seguida de cáncer de hígado o cirrosis, que algunos enfermos generan más resistencia y otros se apagan rápidamente.

Cada vez hay más enfermos y ella también se ha contagiado y lo sabe. Últimamente está más cansada. No es el cansancio de la edad —aún no tiene sesenta años—, sino un cansancio más profundo, que dura más. Lo sabe.

Artefacto número 1858:
Un cartel electoral

Cuando lo ve, no da crédito a sus ojos, y antes incluso de llegar al poste, la ira se ha apoderado de ella. Arranca el cartel del poste sin dificultad, luego lo rompe en dos pedazos y lo tira al suelo. El siguiente poste telefónico está a quince metros; arranca el cartel, lo rompe y también lo tira al suelo. Lo mismo se repite en la entrada de los edificios de apartamentos, en la puerta de la cafetería, en el supermercado, en las paradas de autobús. Sabe que hay gente mirándola: pacientes, miembros del personal. Nadie se acerca para ayudarla o detenerla. Pero, al cabo de un rato, la señorita Fuji repara en que un par de personas la siguen de cerca con grandes bolsas de basura y recogen los carteles rotos.

Artefacto número 2987:
Hombre, 71.
Número tres mil cuatrocientos veinticinco

Esta mañana temprano, la señorita Fuji ha ido más allá de los huertos. La señora Tsubame, que va en silla de ruedas eléc-

214

trica, le da los buenos días con una inclinación de cabeza. En el mes de julio los huertos tienen un vistoso colorido; pimientos rojos y amarillos, cebollas, pepinos naranjas. Se acerca la recolección. Uno de los pacientes le dijo un día que los pepinos naranjas procedían de Okinawa. A ella no le gustan, los encuentra demasiado amargos, pero siempre le han parecido bonitos.

Al otro lado de la isla, en la cima de la colina de la Luz, la Campana de las Bendiciones repica seis veces. Antes de que se haya extinguido el eco del último repique, se oye un chasquido y los altavoces inician su actividad, altavoces que ahora ella ni siquiera oye si no presta atención. Puede recorrer la isla de parte a parte pasando por delante de todos los altavoces y no enterarse de una sola palabra sobre los partidos de béisbol que se disputan en las noches estivales. Se desconecta completamente. Aún recuerda la noche en que el señor Shirayama y ella volvían del bazar y él estaba atento al partido de su equipo de béisbol favorito: los Tigres de Hanshin. Aminoraba el paso al llegar junto a los altavoces para oír los comentarios sobre un lanzamiento. Cómo se enfureció cuando, exactamente a las nueve en punto, la voz del empleado de Nagashima interrumpió el partido, dijo buenas noches y los altavoces se quedaron en silencio hasta la mañana siguiente a las seis. Entonces ella le compró al señor Shirayama una pequeña radio para que no se perdiera el final de los partidos.

La voz relajada y familiar del locutor de la emisora NHK da comienzo a las noticias, pero el locutor de Nagashima interrumpe el tercer acontecimiento.

«Buenos días. Anoche, a la una y cinco, murió de cáncer el señor Nakahara del Edificio Gaviota, Habitación 7008.

Tenía setenta y un años de edad. Era de Osaka, de religión shinshu. El funeral se celebrará hoy a las nueve de la mañana.» La señorita Fuji oye el anuncio repetido. Intenta recordar algo sobre el señor Nakahara, pero no se le ocurre nada destacable. Había llegado a Nagashima un año o dos antes que ella, se le había diagnosticado una Hepatitis C y había desarrollado un cáncer de hígado hacía un año. 3.425, piensa ella. Hoy se pintará una urna con la inscripción: Hombre, 71. Sus cenizas se unirán a las demás en el altar. Piensa en el señor Yamai y en el día en que ella esparció sus cenizas en Kioto. Siente entonces que le invade una íntima satisfacción.

Se reanudan las noticias en medio de una frase. Ella sigue paseando. Pasa por delante del cobertizo del señor Shirayama y recorre la playa pedregosa, donde enmohecen anclas de viejas barcas de pesca, herrumbrosas, cubiertas de hierba. Hay algo hermoso y triste a la vez en esas anclas. La señorita Fuji se baja el ala del sombrero y continúa andando hacia el este, hacia la colina que el sol ya ha dejado atrás. Aunque el sol ha empezado a alargar las sombras, hace calor. Al pie de la colina, donde la carretera de cemento se convierte en tierra, está el último poste con altavoces. La señorita Fuji se aleja de las noticias de la mañana y, al doblar el recodo, deja de oír la voz.

No hay gran cosa en la cima de esa colina. De vez en cuando, en días despejados, se puede ver el grupo de islas del mar Harima, donde en otro tiempo muchos pescadores de su isla natal vivían de las capturas de hamachi,* pero ha oído decir que la contaminación prácticamente ha acabado con la pes-

---

* Especie de atún de cola amarilla muy popular en la gastronomía japonesa. *(N. de la T.)*

ca. Hoy hay demasiada neblina para ver las islas. Se oye un crujido entre la maleza y ve una larga serpiente marrón que se desliza a un metro de distancia, cruzando el sendero para adentrarse en la hierba.

Vuelve entonces la vista hacia la isla de Shodo y se pregunta si las buceadoras seguirán zambulléndose o si aquella parte del mar Interior se habrá contaminado también. Piensa en las monedas que enterraba cada sábado entre los olivos. No recuerda cuántas fueron en sus cuatro años como buceadora, pero sabe dónde: en la quinta hilera y el duodécimo árbol.

Sus pensamientos vuelven a centrarse en el señor Nakahara y el cáncer que ha acabado con su vida. «¿Será también mi destino, después de tantos años esquivando una antigua enfermedad, solo para que me mate otra enfermedad moderna?» La muerte no la asusta, nunca la ha asustado, ni siquiera cuando tenía dieciséis o diecisiete años y empezaba a bucear. Recuerda que algunas de las buceadoras eludían el tema de la muerte contando historias, mitos sobre el modo en que el mar Interior había acabado con algunas de ellas. Solo intentaban meterle miedo a la joven novata, pero ella nunca las había creído. No creía en que una ocasión a una buceadora se le hubiera quedado un pie atrapado entre dos rocas del fondo y que no hubiera podido soltarse, que su esqueleto pudiera verse agitándose años después, aferrado aún a una ostra con una perla perfecta en su interior, que nadie osaba coger. Había otra historia sobre un calamar enorme que había estrujado a una de las buceadoras hasta matarla. Pero la historia que a ella más le gustaba, quizá porque le parecía más verosímil, era la de dos buceadoras que se habían peleado por una gran ostra, y habían estado tanto tiempo forcejeando que las dos se habían quedado sin aire en los pulmones antes de que pudieran subir a la superficie. La ostra objeto de la disputa se había colocado delante de las duchas como advertencia para las buceadoras. Esta historia le hace sonreír, a pesar de los muchos años transcurridos.

Se encamina de nuevo hacia el sendero, agobiada por el calor del sol. Pronto oye de nuevo débilmente los altavoces. Se detiene y se apoya para no caer, súbitamente mareada. Espera allí unos minutos a que se le pase el mareo. No, la muerte no la asusta. ¿Qué número será? ¿El 3.426? ¿Un bonito número redondo como el 3.500? Es casi como una cuenta atrás, se dice. Ahora quedamos cerca de seiscientos, y a medida que una cantidad aumenta, la otra va disminuyendo. Un día no muy lejano, dentro de quince años quizá, las cantidades se detendrán en unos cuatro mil por un lado y cero por el otro. ¿Cuál de nosotros será el último? Pronto esto no será más que una residencia de ancianos.

Oye otro anuncio sobre el señor Nakahara y el funeral que se va a celebrar por él. Tras una breve pausa, el locutor revisa sus papeles y lee el menú de la comida de hoy, luego las ofertas especiales del supermercado: mandarinas, melones y ciruelas.

La señorita Fuji va de altavoz en altavoz, cubriendo los diez metros que separan a unos de otros, y antes de llegar incluso al cobertizo del señor Shirayama, sabe que no estará allí para comer las hortalizas a punto de recolectarse. Sabe que debe partir. Sabe que no puede permitirse acabar convirtiéndose en un número más de Nagashima, en un anuncio intercalado entre el menú del mediodía y las ofertas especiales del supermercado.

ARTEFACTO NÚMERO 001:
UNA CAJA

La mañana siguiente a la partida de la señorita Fuji, el señor
Shirayama avanza en su silla de ruedas motorizada cuando ve la
caja en el cubo de la basura, delante de la incineradora, cerca
de su cobertizo. La recoge y sabe que es de ella. Su liviandad
le sorprende. Se la lleva al Faro y la coloca entre las demás cosas del edificio que hace una semana le pidieron que ayudara
a ordenar.

Abre la caja que ella ha cerrado descuidadamente con cinta adhesiva. No está seguro del porqué, pero cree que ella
quería que la encontrara y que decidiera qué hacer con el
contenido.

Esto es lo que encuentra: antiguo dinero de Nagashima y
una gastada moneda de un yen; una piedra roja atravesada por
una raya negra; varios mapas, uno de la isla de la Mano hecho
a mano, un viejo mapa de Honshu con señales del recorrido
desde Okayama hasta el monte Fuji y un mapa de Mushiage;
una tabla horaria de las mareas y un mapa estelar; y un pro-
gama del concierto de la Banda del Pájaro Azul en el Auditorio de la Ciudad de Kioto.

Al otro lado del canal

Amanece más tarde aquí, piensa. Como si estuviera en otro país y no a dos horas de tren de Nagashima. O quizá sea mediodía, u otra noche distinta, o solo hayan pasado treinta minutos desde que se ha levantado de la cama. Las cortinas del hotel donde ha pasado las tres últimas semanas son tan gruesas que no dejan que nada penetre. Al menos no dejan pasar la luz, pero el sonido sí. El ruido: bocinas de coches, bandas de jóvenes que recorren las calles con sus motocicletas, conductores de autobús que anuncian las paradas, un tren de alta velocidad al pasar; todo lo oye. Imagina que acabará acostumbrándose, igual que tardó un tiempo en acostumbrarse a los altavoces en Nagashima.

La habitación es pequeña y le cuesta dormir en una cama con sábanas rígidas como planchas. Hay un solo paso del borde de la cama a la pared, tres pasos de la cama al cuarto de baño, dos pasos de un lado de la cama al televisor que hay sobre la tabla que hace de mesa y escritorio.

Pone agua a hervir sobre la placa caliente y hace té verde de bolsita. El té está amargo, porque ha tardado demasiado en sacar la bolsita. Abre la ducha, coloca una toalla en el fondo de la bañera y se sienta encima de ella, dejando que el agua rebote sobre su cuerpo. Cuando se levanta, siente el agua demasiado caliente sobre la cabeza, pero en los pies tiene la temperatura perfecta.

Es temprano cuando baja los cinco tramos de escaleras. Solo ha usado el ascensor una vez en el tiempo que lleva allí; no le gusta la sensación de caída. Espera que no se produzca jamás un incendio, porque las escaleras están atestadas de cubos, toallas de baño limpias, cajas con pequeños paquetes de champú y acondicionador, jaboncitos, y revistas, periódicos y cómics viejos. Piensa en hablarle al encargado de noche del peligro que suponen las escaleras abarrotadas, pero ni siquiera lo encuentra en recepción. Deja allí su pesada llave con la larga cadena de plástico en la que se indica el número de su habitación y el nombre del hotel: 591 Hotel Inteligente. El encargado de noche está fuera, en la salida de emergencia, e inclina la cabeza para desearle buenos días. Le recuerda también que el desayuno se sirve de seis y media a nueve de la mañana. Ella enfila la calle sin pensar en un destino concreto, pero al cabo de cinco minutos se encuentra junto a la central de autobuses.

Algunas partes de la plataforma de cemento están mojadas. Busca otros indicios de lluvia, ya que no recuerda haber oído llover por la noche. Oye un chapoteo cerca de ella y ve a un hombre flaco y desaliñado que se agacha para echar agua con un cubo de plástico. Cuando el agua está a punto de acabarse, echa el resto sobre el cemento, dándose la vuelta para esparcirlo a su alrededor. Luego desaparece en el interior de los lavabos y vuelve con el cubo lleno para repetir el mismo proceso. El hombre va trabajando alrededor de la gente que camina presurosa con maletines en la mano o vasos de café, gente que arroja cigarrillos encendidos al cemento mojado, o los aplasta con los zapatos, y luego se sube a un autobús dejando que el humo de la última bocanada se escape por la nariz.

La señorita Fuji está frente a la plataforma número siete, de pie, porque seis asientos están ocupados por otros tantos pasajeros, que aguardan la llegada del autobús, y en los otros dos hay un maletín y una mochila escolar de chica. No aparta los ojos del hombre del cubo y, cuando llega el siguiente autobús al cabo de unos cinco minutos, se sienta en una de las sillas que quedan vacías. El hombre saca cubo tras cubo. Debe de tener más de uno, piensa ella, porque tarda muy poco tiempo. Mientras lo observa, repara en que otras personas también le echan una mirada. El hombre tarda unos treinta minutos en acabar con la larga plataforma, y para entonces ella tiene dolor de cabeza a causa del ruido y los gases de los tubos de escape de los autobuses.

El hombre vuelve a entrar en los lavabos y sale con una bolsa pequeña y unas pinzas grandes. Recorre entonces la plataforma recogiendo trozos de papel, una lata. Cuando termina, han aparecido ya un par de colillas. Entra en los lavabos y vuelve otra vez con la bolsa y las pinzas para darle a la plataforma un repaso rápido. Cuando termina, se sienta junto a una gran bolsa negra que tiene encima una pila de periódicos atados con un cordel. Se quita la gorra de béisbol, se pasa la mano por los sucios cabellos negros, gira la cabeza y tose varias veces con fuerza. Es más joven de lo que ella había creído en un principio. Le parece que hace semanas que no se afeita, pero nunca ha sabido juzgar bien estas cosas, y sigue sin estar segura, pues en Nagashima casi ninguno de los pacientes masculinos tenía vello facial. El hombre descansa y ella lo observa cuando vuelve a los lavabos para hombres y tarda un rato en salir con el pelo mojado y peinado. Ahora parece más joven aún, de unos cuarenta o cuarenta y cinco años. Lleva la cara un poco más limpia, pero sin haberse afeitado se ve aún más demacrada. El hombre recoge la bolsa y los periódicos, sube por la escalera mecánica y ella deja de verlo, solo le oye toser. Por un momento piensa en seguirle, pero son ya más de las nueve y tiene que ir a la tienda de comida rápida y comprar algo, porque ya ha pasado la hora del desayuno en el hotel.

Durante las dos mañanas siguientes se dedica a observar al hombre que limpia la plataforma. Es en la tercera mañana cuando se sienta junto a la bolsa negra y espera a que termine.

Él se sienta, la bolsa negra los separa. Últimamente, ella ha sentido la necesidad de hablar, asombrada de cruzarse con miles de personas cada día y no tener a nadie con quien hacerlo. Recuerda cuando estuvo en Kioto con la Banda del Pájaro Azul y charló con todos los que estaban dispuestos a responder a sus ávidas ganas de hablar.

—¿Cuánto tiempo hace que trabaja aquí?

Él gira la cabeza y la mira por encima de la bolsa.

—Solo limpio un poco.

—¿Hace esto todos los días?

—¿Limpiar?

—Sí.

—Cada día. Hace un año que lo llevo haciendo, creo. —El hombre aparta la cara y tose.

—¿Le gusta?

—¿Gustarme? No sé si me gusta. Al menos así me parece que hago algo.

—Eso es lo que yo necesito.

—¿El qué?

—Necesito sentir que hago algo.

—Todos necesitamos eso. ¿A qué se dedica usted?

—Fui enfermera. Debería visitar a un médico con esa tos que tiene.

—Habla como una enfermera. Ningún médico puede curarme esta tos. ¿Trabajaba en esta ciudad?

—No, solo estoy de visita. ¿Y usted?

—Hace un tiempo que vine aquí.

Ella ve un reloj, comprueba que ha vuelto a saltarse el horario del desayuno en el hotel y tiene hambre.

—Me voy a desayunar. ¿Tiene usted hambre?

—No, gracias. Tengo que irme.

El hombre recoge su bolsa, inclina brevemente la cabeza y desaparece por la escalera mecánica.

El hombre ha terminado de lavarse y se está secando la cara con una toalla. Se sienta. La bolsa negra los separa, como en los últimos días.

—¿Quiere desayunar?

Ella acepta el bollo de soja.

—¿Quiere algo para beber? —pregunta ella.

—No, gracias.

La señorita Fuji se levanta y se dirige a la máquina de bebidas que hay a su espalda. Al insertar las monedas, le viene fugazmente a la memoria el recuerdo de aquel día en Kioto, cuando sacó el vaso de la máquina antes de que hubiera caído el líquido. Ahora hay bebidas en lata, en cartones y botellas de plástico, y se ven máquinas por todas partes. La primera máquina de bebidas llegó a Nagashima hace un tiempo, y le pidieron a un miembro del personal que hiciera una demostración de cómo usarla. El ruido de la lata al caer sobresaltó a algunos pacientes. Ahora saca de la máquina dos cartones pequeños de té chino y ambos caen suavemente sin apenas hacer ruido. Le ofrece uno al hombre. Él inclina la cabeza y le ofrece otro bollo de soja, ella lo rechaza y él se lo come con el té.

—Lo siento, no le he preguntado su nombre. Yo soy la señorita Fuji.

—Me llamo Yasu.

—¿Vive por aquí cerca?

Él está bebiendo y señala por encima del hombro de la señorita Fuji hasta que traga el té y, sin dejar de señalar, dice:

—Allí, junto al río.

—Es bonito aquel lugar.

Él asiente con un leve movimiento de cabeza.

—He visto a gente pescando por allí. ¿Pesca usted también?

—A veces, pero no hay gran cosa en el río, aparte de sardinas. De vez en cuando hay alguna caballa.

El hombre arruga el papel de los bollos de soja, coge el cartón de té de ella, recoge del suelo un papel de caramelo, y lo arroja todo a la basura.

—Si la gente de hoy en día tuviera un poco más de orgullo, no tendría que pasarme tanto tiempo limpiando lo que ellos ensucian. Pero, supongo que mientras yo esté dispuesto a recoger lo que tiran, no dejarán de hacerlo. Hasta mañana.

—De acuerdo. Gracias por el desayuno.

Las tardes las pasa deambulando por la zona comercial, pero raras veces entra en los grandes almacenes. Están demasiado llenos. Sin embargo, a veces entra en uno de ellos y se sienta en uno de esos bancos que ponen cerca de los lavabos, para refrescarse con el aire acondicionado. Un día, mientras estaba sentada, vio una muchedumbre de gente y no supo por qué se empujaban unos a otros, así que se levantó y, al acercarse, se sorprendió al comprobar que se arremolinaban en torno a un puñado de paraguas rebajados.

Se le ocurre que podría ir a la biblioteca, que está al otro lado del río. Es una biblioteca bonita en la que ha estado un par de veces. Hacia las dos, se encuentra delante de uno de los grandes almacenes y espera junto a una pequeña multitud congregada. El gran reloj inicia su melodía a las dos en punto y la señorita Fuji ve las figuritas saliendo de dos en dos hasta hacer veinte en total. Cada una lleva un traje de un lugar distinto: un chico japonés con una cinta en el pelo y un pequeño tambor *taiko*, una chica de larga cabellera negra y falda hawaiana, otra figurita con zuecos de madera. Ella intenta acudir junto al reloj al menos una vez al día para ver a los niños que lo contemplan, algunos bailando al son de la melodía. Todavía le sorprende ver tantos niños, o ver niños. Se queda mirando el reloj hasta que todas las figuritas desaparecen.

La multitud se dispersa y cuando ella echa a andar, da solo unos pasos antes de detenerse. Al principio piensa que se equivoca, pero después de mirar de nuevo sabe que es él. No está segura de si debe saludarlo, pero rápidamente desecha la idea, consciente de que sería muy violento para él. Además, ¿qué le diría? ¿Dejaría caer unas cuantas monedas en su sombrero casi vacío? Igual que las figuritas del reloj, retrocede y vuelve a meterse en los grandes almacenes tratando de ordenar sus ideas.

Está sentada en la acera contraria a los grandes almacenes y si no lo ve a él, se acercará al reloj. Pero aún no ha pensado en lo que podría decirle, pues desde que lo encontró allí, no ha aparecido por la central de autobuses por la mañana y ha desayunado en el hotel. Son casi las seis y las figuritas del reloj solo saldrán dos veces más hoy.

—¿Qué está haciendo, señorita Fuji?

Ella se sobresalta al oír su nombre.

—Esperaba a que el reloj diera la hora. ¿Qué tal está usted, Yasu?

—Estoy bien. Pensaba que a lo mejor se había ido de la ciudad. Hace días que no la veo.

—Me fui un par de días.

—¿Adónde?

Ella no tiene respuesta preparada y finge no haberlo oído.

—La vi el otro día mirando el reloj. ¿Le gusta?

—Sí, es bonito. Nunca había visto nada parecido.

—¿Por qué no vino a saludarme?

—¿Cuándo?

—El día que estaba delante de los grandes almacenes y me vio.

Una vez más, ella se queda sin palabras. Se siente acalorada y saca una toallita para mojarse la cara y la nuca. Los coches pasan por delante y oye que el reloj empieza a tocar.

—El reloj está tocando, debería irse.

—Hoy no necesito verlo.

La señorita Fuji se queda mirando a los transeúntes y compradores, escuchando cómo la melodía del reloj se impone al ruido del tráfico y luego se desvanece.

A última hora de la mañana siguiente, se encuentra con él en la central de autobuses tal como habían quedado. Él quiere llevarla a un sitio, mostrarle algo. Cogen un autobús en la estación y viajan en él durante unos veinticinco minutos hasta que se acercan al pie de la montaña. Cuando se apean, ella le ofrece fruta.

—No, gracias. Ya he comido.

—Siempre dice que ya ha comido, pero está muy flaco. Tome, guárdese esto en los bolsillos y cómaselo cuando le apetezca.

Se alejan de la parada del autobús.

—¿Adónde vamos?

—Ya le he dicho que quiero enseñarle algo.

Suben por la suave pendiente de la carretera. Los árboles se van espesando, las casas son cada vez menos numerosas. Ella compra dos botellas de zumo en una máquina expendedora. Él se detiene cada pocos minutos y descansan para beber un trago de zumo.

—¿Por qué le fascinan tanto esas máquinas de bebidas?

—Ya le dije que no hay en el lugar del que vengo. Pero están por todas partes, incluso aquí arriba, cerca de la montaña.

—Máquinas de bebidas, cigarrillos. He oído decir que incluso las hay en el monte Fuji.

—¿Ha estado usted en el monte Fuji?

—No, solo he leído que hay máquinas expendedoras justo en la cima de la montaña. Dicen que también hay basura por todas partes y que la peste a lo largo del camino es terrible.

Ella no dice nada, le cuesta creer lo que acaba de escuchar.

—¿Usted ha estado allí?

—Hace muchos años. Me llevó mi tío cuando tenía nueve años. No recuerdo que hubiera basura ni malos olores.

—En aquella época se respetaban más las cosas.

Siguen ascendiendo por la carretera hasta que llegan a un pequeño sendero de montaña.

—No creo que sea capaz de subir hasta la cima.

—Solo un poco más. Lo que quiero enseñarle está un poco más arriba.

Durante cinco minutos más, siguen subiendo por el sendero de tierra.

—Muy bien, estarán por aquí.

—¿Quiénes?

—Los hombres que voy a mostrarle. Los verá esparcidos por toda esta zona a su izquierda. Siga andando y yo le hablaré de ellos después.

Tal como él dice, la señorita Fuji ve pequeños grupos de hombres sentados sobre mantas o lonas, algunos trajeados, otros solo con camisa de vestir y sin corbata. Un hombre juega con una calculadora, otro lee un cómic, otros están charlando y otros juegan a *mahjong*. Al cabo de unos minutos, se detienen después de haber visto alrededor de una docena de hombres. Ella bebe un trago e intenta recobrar el aliento y secar el sudor que se le ha formado en la cara.

—¿Qué hacen?

—Suben aquí todos los días y se quedan hasta última hora de la tarde antes de volver a casa.

—Pero ¿qué hacen?

—Viven una mentira, señorita Fuji. Cada día salen de su casa trajeados y con su maletín como si fueran al trabajo. Sus mujeres les han preparado incluso la comida. Pero ellas no saben que sus maridos han perdido el trabajo y que vienen aquí y se quedan esperando todo el día antes de volver a casa por la noche.

—¿No lo descubrirán sus mujeres?

—Al final tendrán que decírselo o… —Hace una pausa, bebe un trago y se ajusta la gorra de béisbol—. O ellas lo descubrirán. Eso fue lo que me ocurrió a mí. Mi mujer lo descubrió. Yo no subía a una montaña como estos hombres, iba a parques o cogía el tren para irme a otros lugares. Pero vivía una mentira, igual que ellos. Ahora solo trato de vivir.

—¿Perdió su trabajo?

—Primero enfermé, luego me echaron de mi puesto.

—¿Qué pasó?

—Tengo una enfermedad, una que no conocen mucho. Es bastante nueva. Es una enfermedad que despoja a las personas de toda su dignidad, que te obliga a ir consumiéndote solo hasta morir.

Ella lo mira fijamente, no para escudriñar en su interior, sino en busca de huellas físicas que ella está acostumbrada a encontrar por sus años de enfermera. Aparte de la tos, una ampolla en un lado del cuello y otra que ha visto en la frente, junto a la raíz del pelo, no encuentra nada que le haga pensar que tiene la lepra. Tampoco su delgadez se corresponde con la enfermedad. Él le devuelve la mirada y ella tiene la impresión de que sabe algo, como si la hubiera llevado hasta allí para demostrarle que también ella está viviendo una mentira.

—Así que, ¿no es de por aquí? —pregunta.

—No, vivía a unos doscientos cincuenta kilómetros de aquí. Ahora mi mujer y mi hijo viven con su madre. A su familia y a los amigos les dijeron que mi empresa me había trasladado a Tokio. Por eso no me ven nunca en casa. En vacaciones, les dicen que estoy demasiado ocupado, o se van ellos, diciendo que van a encontrarse conmigo para pasar las vacaciones en unas termas o algo así.

—¿A la gente no le parece un poco extraño?

—Al principio tal vez, pero pasa el tiempo y la gente acaba acostumbrándose. Simplemente no dicen nada como si todo fuera a arreglarse así.

Ella se apoya en un árbol y respira hondo.

—¿Se encuentra bien?

—Lo siento, pero tengo que volver. No me encuentro muy bien. Seguramente será por el calor.

Vuelven sobre sus pasos y pasan por delante de los hombres, muchos de los cuales han abierto sus fiambreras para sacar los palillos y empezar a comer.

Está tan agitada que no puede dormir. A los pocos segundos de abandonar el hotel encuentra un taxi que la lleva a la zona comercial. No es tan tarde como parece, pero la calle está ahora en silencio y solo hay unas cuantas personas. Un restaurante de comida rápida sigue abierto, pero el resto de negocios tienen bajadas las persianas metálicas y delante hay apiladas cajas de basura.

La señorita Fuji ha paseado a menudo por esta calle en los dos últimos meses, pero de noche y sin la gente le parece distinta. Con el rabillo del ojo derecho ve que una de las cajas se mueve. Esa es una de las cosas que tiene mejor: su vista siempre ha sido excelente, ni la enfermedad ni la edad —ahora tiene sesenta y cuatro años— la han deteriorado. Se da la vuelta, ve moverse otra vez las cajas, y cuando las examina más de cerca se da cuenta de que no son cajas de basura, sino cajas que se han pegado y juntado con cinta adhesiva para hacer pequeñas casas. A lo largo de toda la calle, bajo los soportales, está lleno de cajas convertidas en casas.

Las cajas están solo en el lado derecho de la calle. Ella intenta descubrir si esto tiene algún significado, pero no se le ocurre nada. No lejos de donde ha notado el primer movimiento, un hombre, no mucho más joven que ella, está juntando un par de cajas planas con un cordel de plástico. Lentamente da vueltas al cordel alrededor de las dos cajas y las atraviesa con él hasta convertirlas en una sola pieza grande. A su alrededor las cajas forman un cuadrado que le llega a la altura del pecho. Ella siente deseos de mirar en el interior de la caja para ver lo que tiene dentro, pero no se mueve de donde está. Desvía la mirada hacia un grupo de hombres que caminan tambaleándose y chocando unos con otros, riendo estruendosamente y hablando demasiado alto. Uno de ellos, con el cuello de la camisa abierto, la corbata torcida y la americana del traje sujeta con un dedo, se detiene junto al hombre que construye la casa y lo mira.

—¿Qué es eso? —balbucea el hombre de la corbata, y está a punto de caerse hacia atrás, como si las palabras le hubieran empujado.

El hombre continúa trabajando con los cartones y la cabeza agachada.

—Es una caja. No, perdón, es tu casa. ¿Es esa tu casa? —pregunta el de la corbata, riéndose a carcajadas, y los que le acompañan se empujan unos a otros y ríen.

El hombre de la corbata repite la pregunta.

—¿Es esa tu casa? —Más risas de los demás.

Ella está tan cansada después del largo día que solo quiere sentarse allí mismo, acurrucarse y ponerse a dormir. Se apoya en la persiana metálica de una de las tiendas y observa a los borrachos que siguen riendo y burlándose. El hombre no les hace caso. Se mete en la caja, coloca la última pieza de cartón como techo y luego ata los cordeles de las esquinas a los lados de las cajas. El tejado lo aísla de los otros. El borracho da unos golpes en un lateral de la caja. Luego vuelve a llamar.

—¿Hay alguien en casa?

Sin pensárselo dos veces, la señorita Fuji se planta en medio del borracho y sus amigos.

—Déjelo tranquilo —le grita.

El hombre se sobresalta, pero recobra la compostura y se ríe de ella.

—¿Qué les pasa a todos?

El grupo de hombres se queda en silencio. Un par de ellos intentan contener sus carcajadas de borrachos. Otro se acerca al de la corbata.

—Venga, vámonos —dice, tirándole del brazo—. Vámonos. Finalmente consigue que su amigo dé un paso hacia delante y siga andando, poniendo un pie detrás del otro. Los demás les siguen bajo los soportales y pronto todos han desaparecido y ella solo oye sus risas amortiguadas. Echa a andar entonces en dirección opuesta y oye que desde el interior de la caja el hombre le da débilmente las gracias. Ella no responde, toma la primera calle lateral a la izquierda y se encamina hacia el río, que está tan solo a dos manzanas de distancia.

El río es tranquilo; no se ve discurrir el agua hasta que pasa algo flotando. No tiene que esperar mucho para que aparezca una botella y pase lentamente ante sus ojos. La señorita Fuji cruza el puente y camina por la estrecha acera. Al poco rato se acerca al paso inferior de la autopista. El ruido de los coches se cierne sobre su cabeza y los camiones parecen a punto de caerle encima.

Allí abajo hay casas más sólidas, hechas de cajas, lonas azules, láminas de madera contrachapada y esteras viejas. Tienen un carácter más permanente. Fuera hay una mujer acuclillada que remueve el contenido de una olla. Se saludan con una inclinación de cabeza. Un perro pequeño gimotea y tira de la cadena hasta donde esta le permite alcanzar. Las casas, construidas unas cerca de las otras, se extienden a lo largo de un centenar de metros. La señorita Fuji repara en que muchas de ellas tienen felpudos o pequeñas esteras en la entrada, y encima un par de zapatos o zapatillas. Repasa entonces los zapatos tratando de recordar cómo son los que lleva Yasu. Todos se parecen a los suyos, pero no lo son. No sabe muy bien qué hacer ni delante de cuál de las casas dejar el frasco de medicamento para la tos que lleva consigo.

Un camión pasa retumbando sobre su cabeza y ella se pregunta si pueden dormir allí con tanto ruido, con la autopista a menos de veinte metros de altura. Recuerda las noches de insomnio durante sus primeros meses en Nagashima y los meses sucesivos, cuando se preguntaba si podría volver a dormir algún día, pero acabó durmiendo, igual que ahora estas personas.

En la pequeña habitación del hotel, sabe que no pasará una noche más allí. En esta habitación de hotel, se dice, donde uno puede correr las gruesas cortinas oscuras y engañar al día convirtiéndolo en noche, pero donde la noche es siempre la misma.

Esta idea la impulsa a levantarse de la cama y descorrer las cortinas. La luz del sol le hace daño en los ojos. Se da una ducha, se viste, mete sus cosas en la pequeña maleta, hace cola en la estación y compra un billete para el lugar al que se dirige, el lugar donde sabe que ha de terminar su historia.

Antes incluso de llegar a la península de Shima, el lugar al que siempre ha querido ir, el lugar más famoso donde hay buscadoras de perlas, sabe lo que va a hacer y cómo va a lograrlo. No tiene muchas opciones; el qué ya lo sabía antes de abandonar la estación de trenes después de comprar el billete, el cómo se le ocurrió más tarde, mientras dormía durante el largo trayecto en tren. Al despertarse se sentía feliz, sabía que estaba haciendo lo correcto. Nadie volvería a tener el control sobre su vida, esta vez ella tendría la última palabra.

El hecho de que no haya pensado nunca en regresar a la isla de Shodo no le sorprende, porque hace mucho tiempo que perdió la ilusión por volver a su isla natal de visita. Tal vez lo deseara hace treinta años, pero ahora ya no. Es el buceo lo que, a pesar del tiempo transcurrido, sigue ocupando un lugar en su corazón, lo único que jamás la ha abandonado. Y por eso está en la recepción del hotel preguntando por el alquiler de barcas.

—Sí, tenemos botes de pedales o patines que se alquilan a mil yenes la hora.

—No, no quiero un bote de pedales. ¿No tienen botes de remos?

—¿Botes de remos? Disculpe un momento, señora. —El joven se acerca a la mujer que hay al otro lado del mostrador de recepción y conversa con ella. Vuelven los dos juntos y es la mujer la que habla.

—¿Está usted segura de que quiere un bote de remos, señora?

—Sí, eso es lo que he pedido.

—¿Para quién es, señora?

—Para mí, por supuesto.

—Bueno, normalmente no nos solicitan botes de remos. Tenemos kayaks.

—¿Podría salir al mar con uno de esos kayaks? ¿Podría llegar hasta donde bucean las buscadoras de perlas?

—Por supuesto. ¿Ha ido usted alguna vez en kayak?

—No, pero estoy segura de que podré manejarlo.

—Los kayaks se alquilan a dos mil yenes la hora. ¿Desea alquilar uno?

—Sí, pero para mañana.

—¿A qué hora?

—¿A qué hora salen las buceadoras al mar?

—Hay tres demostraciones cada día. A las once, a la una y media y a las cuatro.

—¿Demostraciones?

—De cómo se buscan las ostras, señora. Ofrecemos un diez por ciento de descuento en las entradas para los clientes del hotel. Además, si está usted interesada, hay un Desfile del Fuego de las Buscadoras de Perlas, en las que las buceadoras salen al océano a nadar con antorchas encendidas, y después la Elección de Reina de las Buscadoras de Perlas.

La señorita Fuji hace una pausa antes de contestar a la señora de recepción.

—De momento reservaré habitación para esta noche. Más tarde me interesaré por los botes.

La habitación es dos veces más larga que el pequeño lugar en el que había pasado los dos últimos meses. Descorre las cortinas de la habitación, que está en el séptimo piso, y contempla el mar azul. La mujer de la recepción la ha dejado confundida con su charla sobre demostraciones y desfiles. Seguramente pensaba que era una turista normal y corriente que quería ver las atracciones.

Baja a la calle y se dirige a la playa esperando ver a las buceadoras. No encuentra ninguna, y cuando pregunta por ellas, le contestan que están más allá, junto al pequeño pabellón. Pasa por delante de bastantes tiendas que venden perlas y piensa en las que había encontrado ella durante sus años de buceadora: diecinueve en total, aproximadamente la mitad de las necesarias para un collar. Recuerda a aquella buceadora, la más afortunada, que tenía la voz tan chillona y que siempre encontraba perlas. Las tiendas venden también collares de conchas y tarjetas postales de atractivas buceadoras con trajes de baño sugerentes. Se imagina a sí misma con uno de esos escuetos trajes de baño y se ríe; qué ridículo.

Cuando llega al pabellón, encuentra una cola de gente y la deja atrás. Una mujer le dice que las entradas para la demostración se compran junto al restaurante. Una vez más le hablan de «demostración». Compra una entrada, y cuando se abren las puertas, entra y busca un asiento en el pabellón construido en la roca, adentrándose en el mar. Piensa en las máquinas expendedoras que según Yasu habían instalado en la cima del monte Fuji.

La demostración comienza con una señorita de voz aguda que explica la historia de las buceadoras de la península de Shima. Las jóvenes que actúan de buceadoras se sumergen en el agua. El público aplaude estruendosamente cuando las buceadoras salen a la superficie, cada una sujetando una ostra, sonríen y saludan con la mano. La señorita Fuji desearía decirle a la gente que en cuatro temporadas de buceo ella encontró diecinueve perlas, que aquellos trajes de baño provocativos no eran los que se usaban para bucear, que ella estaba tan cansada después de bucear que no podía sonreír ni agitar la mano. Se disculpa y abandona el pabellón, encuentra un banco y se sienta en él. De nuevo siente una extrema debilidad, y mien-

241

tras está sentada allí, busca con la mirada un lugar donde comer, pero aunque no ha comido casi nada en los dos últimos días, no tiene hambre.

Pronto terminará todo. Pronto podrá darse a sí misma al mar. A su lugar. En una zambullida final. Anoche, en el tren, tuvo la idea fugaz de rendirse, de abandonar, y se sintió culpable. Pero ahora sabe que solo es cuestión de tiempo, de meses, quizá de un año, y no está dispuesta a seguir luchando.

Llega tarde para el Desfile del Fuego de las Buscadoras de Perlas, pero aún queda la Elección de Reina. En el escenario hay ocho jóvenes, todas con el mismo traje de baño escueto, blanco y semitransparente, tacones altos y unas gafas de buceo en la cabeza. Un hombre con esmoquin y micrófono se acerca a todas ellas por turno para formular las preguntas habituales.

—¿Cuántos años tienes?

—Veinte.

—¿Cuál es tu grupo sanguíneo?

—AB.

El hombre recorre toda la fila de chicas repitiendo las mismas preguntas. Ella se ríe para sus adentros, sabiendo que ninguna de aquellas chicas guapas y delgadas podría soportar una sola zambullida, no podrían bajar ni a cinco metros sin que el miedo las empujara de nuevo a la superficie. Sus cuerpos menudos no podrían soportar el frío ni cinco segundos. No somos así, no éramos así, piensa.

Por la noche, sentada en la fuente termal de piedra al aire libre, no puede disfrutar siquiera de su última noche allí, cuando apenas hace veinticuatro horas que la idea le había proporcionado una gran paz. Los acontecimientos del día han quebrantado esa paz, dejándola confundida. La zambullida final que tanto ansiaba se ha malogrado por la necesidad de alejarse de aquel lugar.

Un par de mujeres entran en la fuente termal y se sientan frente a ella conversando. Una se sumerge en el agua durante unos segundos y vuelve a la superficie.

—¡Mira, una perla! —exclama, mostrando la imaginaria perla con la mano. Las dos sueltan una risita.

La señorita Fuji está exhausta, pero consigue levantarse para irse, y cuando pasa por delante de ellas, moviéndose en el agua que le llega hasta la cintura, se da la vuelta y dice:

—Así no era.

No encuentra el muelle cuando se apea del taxi en Mushiage, solo agua. El muro al que estaba sujeto el embarcadero no es más que un montón de escombros. La señorita Fuji contempla el agua, pero no hay nada allí que atraiga su interés. Recoge su maleta y se dirige hacia las barcas de pesca. En la proa de una de ellas hay un hombre limpiando el exterior con una manguera.

—Perdone.

—¿Sí? —Él se da la vuelta sin dejar de regar la barca.

—¿Dónde está el transbordador?

—¿El transbordador de Nagashima?

—Sí.

—¿Para qué quiere el transbordador habiendo un puente?

Ella no sabe qué contestarle, sabe que él está señalando el puente, pero no aparta la vista de las barcas de pesca.

—¿Tiene usted familia allí?

Una vez más, la señorita Fuji no sabe muy bien qué contestar. Pero el hombre ya se ha alejado.

Deja la maleta en el embarcadero, cerca de las barcas de pesca y se dirige al pueblo. Nunca ha sido gran cosa, solo una calle principal que apenas ha cambiado. Todavía tiene un mercado que huele a marisco, igual que antes, el lugar donde había una tienda de fideos excelentes y ahora hay un aparcamiento, y la estación de autobuses al otro lado de la calle. La señorita Fuji entra en una tienda de comida rápida, elige un par de bolas de arroz —una de salmón, la otra de ciruelas en conserva— y una botella de té verde. Cuando la cajera le dice el total y lo mete todo en una bolsa, ella se da cuenta de que se ha dejado el dinero en la maleta.

—Lo siento, he olvidado coger el dinero. Vuelvo enseguida.

Sale de la tienda apresuradamente con la impresión de que todo el mundo la está mirando. Camina con la cabeza gacha, sin levantarla hasta que oye las olas que baten contra el embarcadero, y eso le recuerda lo cerca que está de Nagashima, lo agradable que sería volver a ver al señor Shirayama.

Quitarle las amarras a una barca de pesca es más fácil de lo que había imaginado. En lugar de enrollar la cuerda dentro de la barca, la deja en el embarcadero. No necesita cuerdas allá donde va. La mayor parte de la gente del pueblo está cenando y los pescadores aún tardarán varias horas en volver a sus barcas.

Haciendo caso omiso del pequeño motor de la barca, saca los remos y pone rumbo hacia el este. El puente queda a su izquierda. Rema con la vista al frente, y cuando su maleta se golpea contra el costado de la barca, la deja tal cual. Empieza a virar hacia el norte. Ahora puede mirar libremente en ambas direcciones sin ver el puente. Hay muchas estrellas esta noche, estrellas que ha echado de menos cuando las luces de la ciudad las ocultaban. Son las estrellas las que concentran su interés hasta que la barca roza el fondo rocoso y queda varada en la playa.

Epílogo

A veces, al pasar por la mañana o de vuelta a casa por la noche, pienso en el modo en que muchos de los pacientes iniciaron su aislamiento en mi pueblo. El muelle donde atracaba el transbordador que los llevaba al otro lado del canal estaba a menos de un kilómetro de donde nací, de donde aún vivo ahora.

Dado que soy una de las enfermeras más nuevas, puesto que llevo aquí menos de dos años, mis tareas son numerosas. Algunas tienen relación con la medicina, pero muchas veces he de hacer cosas completamente distintas. Durante los dos últimos meses he pasado mucho tiempo en el edificio que llaman «el Faro», ordenando todo lo que hay allí con el señor Shirayama.

No hemos tirado muchas cosas, las hemos empujado de un lado a otro, el alto techo se hacía eco de nuestros chirridos y crujidos. Algunos objetos son muy grandes: escritorios viejos, armaritos, estanterías, y esos los hemos dejado donde estaban hasta que alguien de personal pueda ayudarnos a sacarlos. Pero muchas otras cosas son pequeñas, menudas como una mano, incluso minúsculas como una uña. Y algunas de estas cosas son las que no podemos tirar, porque no podemos separarnos de ellas.

Todo está clasificado por categorías: medicina, pacientes, entretenimientos, historial, varios; y por períodos: preguerra, años cuarenta y cincuenta, años sesenta y setenta, y la época más reciente, desde los ochenta hasta ahora.

Cada una de estas cosas tiene su historia —muchas tienen múltiples historias—, que a veces traen a la mente un recuerdo tan vívido que el señor Shirayama se queda completamente ensimismado, sentado con el objeto en la mano, recordando. Durante un rato no digo nada, luego lo arranco de su ensoñación y le pido que me hable de ello. A veces no tarda más que un minuto, pero otras veces se pasa media mañana. Cuando termina, guardamos el objeto, lo clasificamos y pasamos al siguiente.

Cuando llegué aquí para trabajar de enfermera, recuerdo que un miembro del personal me llevó a recorrer toda la isla y yo no hacía más que pensar que no era tan malo como creía. Había televisores, jardines, flores a lo largo de los senderos pavimentados, los pacientes tenían sillas de ruedas eléctricas, pulcras habitaciones y un pequeño supermercado. Y así seguí pensando durante los dos o tres primeros meses. Mi opinión no empezó a cambiar hasta que salí un día a pasear con la señorita Fuji. Nos habíamos detenido en el embarcadero y admirábamos la isla de la Mano y el mar Interior, que parecía de cristal. Yo tenía las manos sobre las agarraderas de su silla de ruedas. Permanecimos así durante un rato antes de que ella hablara.

—Si uno no conociera lo que ha quedado atrás, este sería un hermoso lugar.

Entonces fue cuando empecé a ver este lugar con otros ojos, cuando empecé a preguntarme cómo sería durante los largos años en que ninguno de nosotros le prestaba atención. Empecé a fijarme en los restos de los viejos edificios cubiertos de hiedra, en las barcas podridas, en los viejos cobertizos, y me di cuenta de lo que había bajo la superficie, bajo el barniz, como dice la señorita Fuji.

Cuando estoy con ella, casi siempre siento la necesidad de decirle quién soy, pero aún no lo he hecho, aún no he tenido valor para decírselo. A veces creo que ella lo imagina, pero quizá sea yo. Estoy segura de que algún día se lo diré. Seguramente será una de esas cosas que soltaré sin pensar antes de poder contenerme.

En esta calurosa mañana de septiembre, ayudo a la señorita Fuji a darse un baño y vestirse. Apenas desayuna, nunca come mucho por la mañana. Mientras ella toma los melocotones que le he preparado, recojo el futón, pongo la mesa de nuevo en el centro de la habitación y abro las cortinas.

Aunque hace calor, de vez en cuando viene una agradable brisa del mar Interior. Hoy la señorita Fuji quiere ir a la colina de la Luz y ver las flores que se han plantado alrededor de la gran campana. Tengo que empujar su silla colina arriba, porque se niega a utilizar una silla de ruedas eléctrica. La cuesta no es muy empinada y hay un sendero pavimentado y sinuoso. Tengo sudor en la cara y me lo seco con una pequeña toalla. Me siento en medio de los tres escalones que conducen a la plataforma donde está la campana. Los crisantemos rodean la plataforma, iguales a los que solía comprar hace muchos años, siguen siendo las flores más hermosas que he visto nunca. La señorita Fuji se levanta de la silla de ruedas con intención de subir los escalones. Yo me levanto también para ayudarla, pero ella aparta mi mano con suavidad.

La señorita Fuji coge el palo de madera que cuelga de dos largas cadenas y golpea la campana, lanzando al aire su estruendoso repique. Después de golpearla de nuevo, vuelve la vista hacia mí.

—Su turno.

Me acerco a la campana y la golpeo con el palo de madera. Esta resuena con fuerza y yo noto su vibración recorriéndome el cuerpo. Cuando ya no la siento, vuelvo a golpearla.

La señorita Fuji me contempla.

—¿Se oye la campana en Mushiage?

—Sí.

No decimos nada más. Ella baja los escalones y esta vez me permite cogerle la mano.

A veces, cuando el sol calienta y el canal está en calma, me llevo el almuerzo a la pequeña ensenada que hay frente a la orilla de Mushiage. Me siento a comer y contemplo el canal, a veces me quito los zapatos y los calcetines y me meto en el

agua hasta las rodillas. Y desde ahí imagino que veo a dos niños pequeños, un niño y una niña, jugando en la otra orilla y
agitando la mano para responder a los saludos de una buscadora de perlas.

Nota sobre las fuentes

Las fuentes que se mencionan a continuación han sido una inestimable ayuda para escribir esta novela: Biblioteca Médica de la Universidad de Fukuoka; artículo de Bethany Leigh Grenald sobre las buscadoras de perlas japonesas; archivos de la Organización Mundial de la Salud; página web de la Leprosy Mission; H. I. H. Museo Conmemorativo Príncipe Takamatsu sobre la enfermedad de Hansen; fotografías de Nagashima de Minoru Yasuhara; y el extraordinario libro *Leprosy in Theory and Practice*, de los doctores R. G. Cochrane y T. Frank Davey (John Wright & Sons, Ltd.).